SUSAN

COMO CONVIVIR CON LOS HIJOS DE SU PAREJA

◆◆◆◆◆

Y NO DIVORCIARSE EN EL INTENTO

Javier Vergara Editor s.a.
Buenos Aires / Madrid
México / Santiago de Chile
Bogotá / Caracas / Montevideo

Diseño de tapa
Verónica López

© 1994 Susana Finkel

Javier Vergara Editor s.a.
Paseo Colón 221 - 6° / Buenos Aires / Argentina

ISBN 950-15-1473-0

Impreso en la Argentina / Printed in Argentine
Depositado de acuerdo a la Ley 11.723

Esta edición terminó de imprimirse en
VERLAP S.A. - Producciones Gráficas
Vieytes 1534 - Buenos Aires - Argentina
en el mes de marzo de 1995

COMO CONVIVIR CON LOS HIJOS DE SU PAREJA Y NO DIVORCIARSE EN EL INTENTO

Este libro está dedicado, con respeto y curiosidad,
a dos mujeres maltratadas por la literatura: las respectivas
madrastras de Cenicienta y de Blancanieves.

Y también, por supuesto:
A Jorge, mi pareja
A Ana y Daniela, mis hijastras

Indice

Agradecimientos

A los hombres y mujeres que valientemente relataron sus historias de vida —cuyos nombres, edades y circunstancias he cambiado—, y me hablaron de sus divorcios, sus nuevos matrimonios, y sus relaciones con hijos e hijastros.

A los profesionales que, con gran generosidad, pusieron a mi disposición sus conocimientos y su documentación: los psicoterapeutas Manuel Artiles, Carlos María Díaz Usandivaras, Cristina Barragán, León Gindín, Humberto Gobbi, Alcira Hayes, Mónica Tesone; Victoria Aloisio, quien estuvo presente en la gestación del libro y registró algunas de las historias de vida; la socióloga y demógrafa Rosa Geldstein; las abogadas Haydée Birgin, Cecilia Grosman, Griselda Lorini, el juez Eduardo Cárdenas y los miembros de la Fundación Retoño.

A Viviana Gorbato, quien me alentó incansablemente para que escribiera este libro.

A Jorge Karol, por su comprensión, amor, aporte de ideas y lecturas críticas del manuscrito.

A Trinidad Vergara, por sus consejos, tan sensibles como sensatos.

A mi padre, que me enseñó a leer y escribir cuando yo tenía tres años de edad.

Y a Sergio Sinay, quien, cuarenta años depués, volvió a enseñarme a escribir.

Introducción

Cuando formé pareja con un hombre divorciado, padre de dos hijas, me propuse asumir un papel casi mesiánico: yo haría que esa pequeña familia olvidara todos sus pesares pasados y fuera —¡al fin!—feliz; yo repararía el daño sufrido por esas dos niñas durante el divorcio de sus padres; las colmaría de cariño, y sería inmediatamente correspondida; volcaría sobre ellas toda mi maternidad, pero no repetiría los errores que mi madre había cometido conmigo. Seríamos así una familia perfecta y dichosa, un ejemplo edificante para los divorciados que se aventuraban a empezar de nuevo. Y sobre todo, nunca, pero nunca jamás, me comportaría como las perversas madrastras de los cuentos de hadas que tanto habían aterrorizado mi infancia.

Muy pronto, la realidad se encargó de echar por tierra mis ingenuas fantasías. Aprendí que el dolor por las pérdidas que implica un divorcio no puede ser borrado por una persona ajena a esa historia; que el cariño y la confianza no son instantáneos, sino que se construyen día tras día, a lo largo de años; que repentinamente se repiten las actitudes maternas que se había jurado no reproducir nunca; y que, muchas veces, una se siente como la madrastra de Blancanieves, brujil y diabólica, a punto de ofrecer a sus inocentes hijastras una manzana envenenada... y odiándose por eso.

Mientras tanto, poco a poco, las asperezas entre las niñas y yo se iban limando; imperceptiblemente, construimos sólidos vínculos de afecto y aprendimos a comprendernos, aceptarnos y querernos. Al mismo tiempo, me di cuenta de que a nuestro alrededor existían cada vez más familias compuestas por una pareja de adultos y los hijos de anteriores uniones de uno de ellos, o de los dos. Estos grupos pasaban por procesos similares al nuestro y, al igual que nosotros, necesitaban ser comprendidos, valorados y apoyados en sus intentos de crecer y desarrollarse como familia y como individuos. Sin embargo, si bien se ofrecen actualmente una multiplicidad de recursos para contener y ayudar a los padres divorciados y a sus hijos, no existe ninguna guía, modelo, manual de instrucciones ni grupo acogedor que apuntale a los OTROS integrantes de las nuevas familias: las madrastras y los padrastros. Este libro —que aúna mi profesión de investigadora en ciencias sociales con mi experiencia personal— nació de la percepción de esta carencia y del deseo de resolverla.

Destinado a madrastras y padrastros, pero también a sus esposos, hijos e hijastros, este libro trata de las relaciones que se construyen entre las mujeres y hombres que se han unido a personas divorciadas, con los hijos de sus parejas. Es también una investigación acerca de la vida cotidiana de los nuevos matrimonios, de sus problemas afectivos, de las relaciones de poder entre sus miembros, de los conflictos económicos y legales que los perturban, y de las consecuencias de éstos en las relaciones de pareja, los lazos entre madrastras, padrastros e hijastros, y sus modos de vida.

¿Quiénes son los padrastros y madrastras? Según el Diccionario de la Lengua Española, estas palabras describen *el papel de los hombres y mujeres, con respecto a los hijos habidos por sus esposos en matrimonios anteriores.* Pero esta definición no basta. En la sociedad actual, madrastras y padrastros son personas a los que se les exige querer a los hijos de sus parejas como si fueran propios, pero sin olvidar que éstos tienen un padre y una madre biológicos, cuyo territorio no se debe invadir. Se les pide que alimenten, cuiden y eduquen a los niños, pero que no pretendan ejercer ningún tipo de autoridad sobre ellos. Se los observa con desconfianza, para saber *si no maltratan* a sus indefensos hijastros. Se ven en la obligación de portarse como hadas benéficas, para contrarrestar la imagen de madrastras-brujas y padrastros-ogros con que las leyendas los han cargado desde hace siglos...

No, el rol o papel de padrastro o madrastra no es fácil. Sin embargo, ahora que la estructura de las familias está cambiando rápidamente, cada vez más niños provienen de familias divorciadas, en las que uno de los progenitores, o los dos, han vuelto a casarse. Décadas atrás, las familias de nuevos matrimonios —también llamadas "familias reconstituidas" o "familias ensambladas"— se formaban luego de la muerte de uno de los progenitores. Actualmente, la mayoría de ellas son el resultado de un divorcio, y del nuevo matrimonio de uno de los padres biológicos, o de los dos. Las cifras de divorcios y separaciones trepan hasta alcanzar las estadísticas internacionales —uno de cada tres matrimonios argentinos termina por divorciarse— y, dado que casi el 80% de los hombres y mujeres divorciados vuelve a casarse, y que un gran porcentaje de esos nuevos matrimonios implica que al menos uno de los adultos posee la tenencia de sus hijos, es fácil deducir que el número actual de madrastras, padrastros e hijastros es importante, aunque las estadísticas no los tengan todavía en cuenta.

Se define a la **familia de nuevo matrimonio** como un grupo en el cual al menos uno de los adultos tiene detrás un divorcio, y es padre de hijos de esa unión anterior, vivan con él o no. En consecuencia, el otro adulto es un padrastro o una madrastra. El número total de las familias que responden a esta definición es desconocido en los países de Latinoamérica, sobre todo porque no todas se forman después de divorcios legales ante los tribunales y de casamientos en el Registro Civil. Muchas son uniones consensuales —o concubinatos, como los llama la ley—construidas a raíz de separaciones de hecho.

Se calcula que entre el 40 y el 50% de los segundos matrimonios terminan en separación, fundamentalmente a causa de conflictos entre el nuevo cónyuge y los hijos del otro, o debido a problemas económicos. Este cálculo pesimista añade una razón más para tratar de entender los conflictos que sufren los miembros de estas familias y brindarles apoyo e información.

Los vínculos que unen a los nuevos esposos con los hijos de su pareja no son simples. Entre el "nuevo" adulto y el niño suelen interponerse la rivalidad por el progenitor, los celos del *otro* padre o madre, la carencia de modelos a seguir para las madrastras y los padrastros, la fantasía de que se sentirá por el niño un amor instantáneo y correspondido, o la culpabilidad por no experimentarlo. Para terminar de complicar la situación, estos múltiples sentimientos se desarrollan en el marco del nuevo matrimonio, mucho más intrincado e impredecible que el primer casamiento.

Pero la relación con los hijos de la pareja es también un triángulo de características singulares; está compuesto por un adulto que se integra a un grupo familiar —ya constituido, afirmado, y poseedor de una historia propia— con esperanzas y temores, otro del que con frecuencia tiran su nueva pareja y sus hijos, y un niño o un adolescente que se siente dividido entre el deseo de querer y hacerse querer por su madrastra o padrastro, y la lealtad hacia el progenitor "abandonado". Encontrar una vía libre para el afecto y el respeto mutuos entre estas contradicciones requiere paciencia, calma, negociaciones y más renegociaciones, acuerdos entre los adultos, estrategias adecuadas y, sobre todo, información sobre los conflictos de las familias de nuevo matrimonio, los problemas habituales de las madrastras y padrastros, y sobre las soluciones posibles.

La investigación en la que se basa el libro consistió en entrevistar a 47 mujeres y hombres que viven en familias de nuevo matrimonio, y que relataron las historias de sus divorcios, sus nuevas parejas, las relaciones que mantienen con los hijos de éstas, y qué caminos siguieron para consolidar sus familias, reforzar sus matrimonios y lograr vínculos satisfactorios con sus hijastros. Esta información fue complementada con la asesoría de psicoterapeutas, sociólogos y abogados, y con una abundante búsqueda bibliográfica.

El primer capítulo analiza las razones de la mala reputación de madrastras y padrastros, tal como aparecen en los cuentos de hadas y leyendas. El segundo, el tercero y el cuarto recorren las etapas del proceso de divorcio, la reorganización familiar, la construcción de la nueva pareja y de los primeros contactos entre los nuevos compañeros y los hijos de su pareja. Los cinco capítulos siguientes tratan de las relaciones entre madrastras y padrastros e hijastros, sus características, conflictos, las zonas de riesgo de las familias de nuevo matrimonio, y las tácticas y estrategias que pueden ayudarlos.

El Capítulo 10 concierne a la sexualidad en las nuevas familias, y se refiere tanto a las fantasías eróticas que existen entre padrastros e hijastros, como a la manera en que los conflictos con los hijos afectan la vida sexual de la pareja.

Los Capítulos 11 y 12 tratan de los problemas económicos y legales que enfrentan las relaciones entre padrastros e hijastros. El Capítulo 13 aporta información práctica sobre *dónde buscar ayuda*: psicoterapias, autoayuda, grupos de reflexión, consejos legales y otros. Finalmente, el Capítulo 14 concluye el libro, dando una vuelta de tuerca sobre la esperanza. Todos los capítulos terminan con una serie de *ideas para compartir*, sugerencias operativas para resolver los conflictos que se plantean en la vida cotidiana.

Aunque pueda pensarse que este libro es una encendida defensa de las madrastras y padrastros, no es ése su propósito. En el fin de milenio que vivimos, para bien o para mal, las estructuras familiares están cambiando más aceleradamente que los marcos sociales y legales, la religión y los prejuicios. Los vínculos que se crean a partir de estas transformaciones deben ser cultivados con cariño, imaginación y creatividad. Mi objetivo al escribirlo fue el de indagar cómo construyen estas relaciones las personas que forman nuevas familias, y en base a estas experiencias, sugerir estrategias para desarrollar una vida familiar más plena y feliz.

Susana Finkel
Buenos Aires, julio de 1994.

1

Madrastras-brujas
y manzanas envenenadas

¿Cuáles son las actuales tendencias de los divorcios y los nuevos matrimonios? ¿Qué nombre reciben las nuevas parejas de los padres divorciados, respecto a los hijos de éstos? ¿Por qué nos resistimos a llevar el título de madrastra o padrastro? ¿De dónde proviene la mala reputación, la carga de maldad y muerte, que afecta a estas palabras? En este capítulo se responde a estas preguntas, recorriendo las cifras internacionales que revelan el aumento de los segundos y terceros casamientos, se recuerdan los cuentos de hadas y las leyendas que maltratan a madrastras y padrastros, y se reivindica a estos personajes, mostrando una realidad muy diferente.

EL NUEVO MATRIMONIO EN NÚMEROS

En la gran mayoría de los cuentos de hadas, el momento de la boda y la cena con perdices señalan el final feliz tan esperado. En los cuentos que se refieren a las madrastras, el matrimonio del rey viudo con una segunda mujer sólo marca el comienzo... de una verdadera historia de terror.

Pero madrastras y padrastros no se muestran sólo en los cuentos de hadas: su número crece velozmente en la actuali-

21

dad. La disolución de los primeros matrimonios y las reincidencias —a veces múltiples— son una tendencia que va en aumento. En Estados Unidos, entre el 33% y el 50% de las parejas terminan en divorcio. Sin amilanarse, el 75% de las mujeres y el 80% de los hombres vuelven a casarse; la mitad de estas nuevas parejas se divorcia por segunda vez. Este segundo divorcio puede atribuirse al hecho de no haber concluido el divorcio emocional del primer matrimonio. No obstante, se haya logrado o no la separación interna, *se estima que más del 60% de los hogares actuales son "familias reconstituidas", formadas por una pareja en la que al menos uno de los cónyuges está divorciado, los hijos de matrimonios anteriores, y los hijos comunes.*

La Comunidad Europea no se ha quedado atrás: los índices de divorcio se cuadruplicaron a lo largo de los últimos veinte años. En la flemática Gran Bretaña, llegaron a multiplicarse por seis. Como consecuencia, uno de cada cinco niños tiene posibilidades de que sus padres se divorcien antes de que él cumpla dieciséis años y, por lo tanto, tiene también altas probabilidades de integrar una nueva familia, en la que deberá convivir con una madrastra o un padrastro.

En los países escandinavos, los divorcios treparon a uno de cada dos casamientos, mientras que en países tradicionalmente católicos como España e Italia —donde la legalización del divorcio es aún relativamente reciente— los índices son menores. En términos globales, los europeos de la década de los noventa registran un divorcio cada tres casamientos, contra uno cada dieciséis en 1960.

. La Argentina no escapa a estas tendencias: en los tribunales de familia se estima que de 30 a 35% de los matrimonios terminan en divorcio, cifra que alcanza los índices europeos. Las uniones son menos duraderas que hace unas décadas, o se renuevan con más frecuencia: los sexólogos, que situaban las crisis matrimoniales alrededor del séptimo año, ahora encuentran que las parejas se desilusionan al quinto año de matrimonio. Según los datos del Registro Civil, en 1950 se casaban 31.368 parejas en la ciudad de Buenos Aires; en 1993, sólo lo hicieron 17.600, mientras 6.063 elegían separarse.

De todas formas, estos números muestran sólo la pequeña parte visible del iceberg: la de las parejas que se han casado legalmente, y que se divorcian ante los tribunales. Queda aún por calcular el número de parejas casadas que no han optado por un divorcio legal —ya sea para evitar las perturbaciones asociadas al juicio de divorcio, porque no tienen los medios de afrontar los costos de los abogados, o por cualquier otra razón— y las rupturas de uniones de hecho, o consensuales. Por otra parte, las parejas que conviven sin casarse van decididamente en aumento: en todo el país, el número de uniones libres entre la población mayor de 14 años de edad aumentó en un 30% entre 1970 y 1980. Es también significativo el hecho de que cuatro de cada diez bebés que nacen en la ciudad de Buenos Aires sean hijos de parejas no casadas. Estas estadísticas indican cambios importantes en las estructuras familiares: *el modelo de familia nuclear, casada legalmente e intacta, ya no es una mayoría significativa.*

En EE.UU.,
el 50% de los matrimonios
terminan en divorcios...

... y el 60% de las familias
son de nuevo-matrimonio

En Europa y en Argentina,
del 30 al 35% de los matrimonios
terminan en divorcios

En Buenos Aires,
alrededor del 30% de los adolescentes
son hijos de padres separados

De ellos, uno de cada diez
vive con su padre,
y nueve de cada diez, con la madre

Una investigación realizada en 1993 por el Centro de Estudios de la Población, Buenos Aires, es bastante reveladora:[1] Tres de cada diez adolescentes viven con uno solo de sus progenitores. De este grupo, uno de cada diez vive con el padre, y el resto con la madre. Aunque la investigación no inquiría sobre la convivencia con madrastras o padrastros, se estima que un porcentaje elevado de adolescentes vive en familias de nuevo matrimonio, legales o no.

EL VÍNCULO QUE NO SE NOMBRA

A pesar de que madrastras y padrastros se multiplican velozmente, en el caldo de cultivo de los divorcios y las nuevas parejas, éstos son nombres que casi no se pronuncian en el seno familiar.

Lucía, una sonriente ginecóloga de 45 años, se desconcierta cuando se le pregunta desde cuándo desempeña el papel de madrastra. "Qué raro: jamás había pensado en mí misma en esos términos". ¿Cómo nombra al vínculo con los hijos de su marido? *"Justamente así, los hijos de mi marido.* Ellos me llaman por mi nombre, o si se refieren a mí ante terceros, dicen *la mujer de papá.* Me entristecería si me llamaran madrastra, y por supuesto, creo que a ellos no les gustaría para nada el término de hijastros. Aunque supongo que técnicamente eso es lo que somos: madrastra e hijastros", termina admitiendo a disgusto.

Lucía no es una excepción. Ninguna de las mujeres ni de los hombres que accedieron a contar sus historias de vida acepta de buen grado el título de madrastra o padrastro. De hecho, muy pocas veces se han oído llamar así, y algunos reconocen que se han resentido cuando alguien lo hizo, aunque haya sido en tono de broma. "La madre verdadera no está muerta, de modo que yo no soy la madrastra. Soy... otra cosa, pero no sé qué nombre ponerle", es el razonamiento habitual.

El vínculo entre los hijos de una unión anterior terminada en divorcio, y la nueva pareja del padre o de la madre, NO

---

[1] La investigación se realizó sobre 400 adolescentes entre 14 y 18 años, de clases media y baja, en el Gran Buenos Aires.

TIENE NOMBRE PROPIO en nuestra sociedad. A diferencia de todos los otros grados de parentesco por matrimonio o *político*, cuyos nombres definen directamente la relación familiar entre los miembros implicados —como *cuñado, suegra, nuera, yerno*, y hasta *primo político*—, la relación entre madrastras, padrastros e hijastros se define sólo por triangulación: la mujer de mi padre, el hijo de mi marido, las hijas de mi mujer. El vínculo no se nombra directamente, sino mediante un pasaje obligado por el progenitor, que oficia de vértice del triángulo. Los componentes de este vínculo, tanto padrastros como hijastros, carecen de nombre y de categoría.

Existe por lo tanto un vacío de denominación, que se llena inevitablemente con términos que no le corresponden con exactitud, y que están cargados con una connotación de muerte. Por lo demás, son términos peyorativos; las palabras *madrastra* y *padrastro* arrastran significados negativos desde los primeros recuerdos: los cuentos de hadas, el folklore barrial, las diversas mitologías.

Y es que estas palabras nunca han gozado de buena prensa. El Diccionario de la Lengua de la Real Academia Española define a la **madre** como: "**f. Hembra que ha parido. 2. Hembra respecto de su hijo o hijos. 3. Título que se da a las religiosas. Fig.: Causa, raíz u origen de donde proviene una cosa**". Comparemos esta honorable enumeración con la que se le da a la **madrastra: "(despectivo de madre). f. Mujer del padre respecto de los hijos llevados por éste al matrimonio. 2. fig. Cualquier cosa que incomoda o daña. 3. Cárcel de presos. 4. Cadena para los presos**"... El desprecio por el papel, la connotación de personaje dañino y castigador, están implícitas en la misma definición del término.

Las mujeres no son las únicas afectadas por su papel de progenitor sustituto: los hombres no salen mejor librados. La definición de **"padre"** es la siguiente: "**m. Varón o macho que ha engendrado. 2) Teol: Primera persona de la Santísima Trinidad, que engendró y eternamente engendra a Su unigénito Hijo. 3) Varón o macho, respecto de sus hijos. 5) Principal y cabeza de una descendencia, familia o pueblo. 6) Religioso o sacerdote, en señal de veneración y respeto**". Sin embargo, si este principal y cabeza de familia y descendencia llegara a morir, o simplemente a ausentarse en busca de prados más verdes, su remplazante está ya condenado desde la enunciación de su nombre: **"padrastro: (despectivo de padre). Marido de la madre, respecto de los hijos habidos por ella en anterior matrimonio. 2.Fig. Mal padre. 3.Fig. Cualquier obstáculo, impedimento o inconveniente que estorba o hace daño a una materia. 4.Fig. Pedacito de pellejo que se levanta de la carne inmediata a las uñas de las manos y causa dolor y estorbo ...7) Procurador en contra".**

Lucía y las demás personas consultadas quedan ampliamente justificadas: ¿Quién, en su sano juicio, querría cargar voluntariamente con estas connotaciones?

Uno de los problemas que se plantean al escribir este libro, es justamente qué nombre dar al vínculo entre el nuevo cónyuge del progenitor y los hijos de éste. Hablar constantemente de "los hijos de la pareja" es no sólo eufemístico, sino tambien cansador. Por otra parte, los términos utilizados por algunos sociólogos y psicoterapeutas, "padres sociológicos", "padres de acogida", o "padres funcionales", suenan inevitablemente forzados. ¿Alguien oyó alguna vez decir a un niño: "Pasé el fin de semana con mi papá y mi mamá sociológica"?

He optado por continuar utilizando "madrastra" y "padrastro" en su definición más exacta: **hombre o mujer, respecto de los hijos habidos por su pareja en anterior matrimonio.** Sin embargo, hago notar que utilizo estos términos a falta de otros mejores, hasta que alguien los invente, hasta que nuestra lengua y nuestra cultura admitan a madrastras y padrastros en un vínculo no marcado por el dolor, el castigo ni la muerte.

No obstante, si a usted, lectora o lector, le disgustan estas palabras tan cargadas de connotaciones negativas, considérese libre de remplazarlas por las que más le agraden. Puede poner a prueba su capacidad creativa imaginando nuevos términos que sustituyan a los originales. Como ayuda, aquí tiene una breve lista de posibilidades:

madroide y padroide
co-madre y co-padre
mamá-bis y papá-bis
madre sustituta y padre sustituto
madre —y padre— por alianza
etc.

LOS HECHOS Y LOS MITOS: EL PAPEL FORMADOR (Y DEFORMADOR) DE LOS CUENTOS DE HADAS

El ronrón de los cuentos de hadas, que en la infancia nos conducía al país de los sueños, nos educaba al mismo tiempo en el terror y el odio hacia las madrastras. ¿Quién no se ha sentido abandonado, injustamente discriminado, relegado a un rincón oscuro de la cocina con Cenicienta? ¿Cómo no experimentar el temor de que ser demasiado hermosa, inteligente o hábil podía atraer sobre sí la manzana envenenada de la madrastra-bruja de Blancanieves?

Las historias —además de tener orígenes religiosos y proponer enseñanzas morales— cumplen una función útil: al mismo tiempo que divierten al niño, le ayudan a comprenderse y a desarrollar su personalidad. El niño percibe que él no es el único que experimenta conflictos —celos de la madre o el padre, rivalidad con los hermanos, anhelos sexuales, transición a otras etapas del crecimiento— y se da cuenta de que existen soluciones posibles.

Pero los cuentos de hadas también imprimen profundamente el terror a las madrastras, hasta el punto de que, aún hoy, estos personajes son para los niños —y para las mismas madrastras—sinónimo de terroríficas brujas.

Sin embargo, en las épocas en que se forjaron muchos de los cuentos de hadas —como los de los Hermanos Grimm—, las madrastras eran figuras no sólo habituales, sino *necesarias* en el ámbito doméstico. La mortalidad femenina, debida a los partos, a fiebres puerperales y a todo tipo de infecciones, era elevada; no pocas mujeres morían en su primera juventud, dejando detrás niños muy pequeños. La economía familiar, la necesidad de contar con otro par de brazos para labrar la tierra, ocuparse de las tareas domésticas y cuidar a los niños, exigía que la esposa muerta fuera sustituida rápidamente. El padre llevaba entonces a una nueva esposa (según los historiadores, la mayor parte de las veces un mes después del fallecimiento de la anterior). Frecuentemente —como sucede también hoy— la nueva consorte apenas superaba la edad de los hijos mayores de la casa. Esta segunda mujer tenía que asumir la crianza de los hijos existentes y la gestación de sus propios vástagos —dado que un número elevado de hijos era a la vez la fuente de mano de obra en los trabajos del campo y el único seguro que los padres tenían en la vejez—mientras acarreaba leña, cultivaba la huerta, molía trigo, hilaba y se ocupaba de la administración de la casa.

Entonces, ¿por qué ese encarnizamiento por dotar a la indispensable y laboriosa madrastra con todos los pecados del mundo?

• Madre buena, madre mala

El psicoanálisis explica el origen de la mala reputación de las madrastras como proveniente de un *mecanismo de disociación*, necesario para poder aceptar a una persona que no siempre aparece como *buena*. Cuando la madre, habitualmente dulce y cariñosa, se enfada con su hijo porque ensució la casa o desobedeció alguna orden, sufre a los ojos del niño una transformación que la convierte en terrorífica. En esos momentos, roja de ira, la suave voz convertida en un grito de enojo, los rasgos alterados, la madre ya no es la mujer con la que está familiarizado: es una bruja, un monstruo que puede castigarlo o humillarlo.

El niño no es capaz de comprender la congruencia entre estas manifestaciones opuestas, por lo que experimenta realmente a la madre como dos seres separados: la buena, que lo quiere y lo mima, y la malvada, que lo censura o amenaza. Por medio de esta división, el niño logra conservar y proteger la imagen de la madre buena. Si ésta *se convierte en bruja, en mala madre, en madrastra* mediante un arranque de ira, provocando en el niño miedo y odio, éste no se ve obligado a cuestionar la idea de la bondad y el amor de la madre, que permanecen intactos: la que lo castiga o humilla es otra.

La disociación efectuada por los cuentos de hadas, entre una madre buena —habitualmente muerta— y una madrastra perversa, cumple una función útil para el niño. No sólo es un medio de preservar una madre interna TOTALMENTE bondadosa e incapaz de maldad (aunque la madre real no lo sea), sino que **le permite sentir y expresar odio y cólera ante una "perversa madrastra", sin poner en peligro a la madre "verdadera",** dado que el niño la ve como una persona completamente diferente. El cuento sugiere así un recurso para que el niño pueda manejar sus sentimientos contradictorios.

Aunque los padres no se comporten siempre como ángeles permisivos, el *padre malo* no encuentra su chivo emisario simétrico en el padrastro. Muy rara vez se desdobla a la figura paterna en *padre bueno* y *padrastro malvado*: las figuras masculinas negativas se derivan de preferencia a ogros, hombres—lobos, dragones y otros monstruos. Esto puede atribuirse a que, hasta una época relativamente reciente, el padre pasaba mucho menos tiempo en el hogar que la madre —así como está poco presente en los cuentos—, y no compartía las tareas de crianza de los niños. Por estas razones, los hijos podían imaginar que su progenitor era menos importante en su mundo que la madre, con la que mantenían un contacto casi permanente. Cuando el padre se oponía a los deseos del niño o le imponía un castigo, éste no necesitaba disociarlo en dos personas opuestas: le bastaba con proyectar su enfado sobre el gigante o el ogro de turno.

DOS CLÁSICOS DEL TERROR DOMÉSTICO: BLANCANIEVES Y CENICIENTA

¿Quién no conoce la historia de la niña de mejillas blancas como la nieve y labios rojos como la sangre? ¿Quién no se ha compadecido de la niña que dormía junto al fogón, cubierta de cenizas? Sin embargo, estos cuentos transmiten más mensajes de los que se perciben a primera vista. En este punto, se develan algunos de ellos.

• Blancanieves, o los celos

Blancanieves es uno de los cuentos de hadas en los que la madrastra queda peor parada. En una de las versiones más conocidas de esta historia, la de los Hermanos Grimm, el rey y la reina suspiran por una hija. Una tarde de invierno en que la reina cose junto a su ventana, comienza a caer una espesa nevada. "¡Quisiera tener una niña con la piel tan blanca como la nieve!", exclama la reina. Poco después, se pincha el dedo con su aguja, y tres gotas de sangre caen sobre la nieve. "¡Quisiera tener una niña con las mejillas tan rojas como esta sangre!", anhela nuevamente. Luego completa la imagen con la ilusión de que su futura hija tenga los cabellos tan negros como el ébano que enmarca la ventana. Los deseos de la influenciable mujer son concedidos: meses después, da a luz una bellísima niña, con la piel blanca como la nieve, las mejillas rojas como la sangre y el cabello negro como el ébano, quien es bautizada con el nombre de Blancanieves. Pocos días después, la reina muere (probablemente a causa del parto), y el rey, como era de usanza en aquellos tiempos, tarda sólo un año en volver a casarse.

Los conflictos entre Blancanieves y la reina empiezan cuando la niña alcanza la pubertad. La madrastra se transforma en *malvada* sólo cuando experimenta celos de la hermosura de la niña, a la que vive como una amenaza. Con la madurez, la reina se siente insegura con respecto a su propia belleza, y teme constantemente ser sustituida por una mujer más joven y hermosa. Sus reiteradas consultas al espejo mágico ("Espejito, espejito, ¿quién es la más hermosa del reino?") revelan su acuciante necesidad de reafirmación, elogios y admiración.

La historia de Blancanieves previene a los niños sobre las consecuencias fatales de los celos, la vanidad y el narcisismo. Sin embargo, el eje del cuento pasa por los celos de los niños —y particularmente de las niñas— frente a la relación amorosa de sus padres (el rey y la reina), y de los privilegios de éstos en tanto adultos. El conflicto sólo desemboca en su solución cuando aparece el joven príncipe que la rescata de su ataúd de cristal y se casa con ella, transformándola a su vez en reina y resolviendo el triángulo: la jovencita ya tiene un hombre propio; las dos mujeres ya no necesitan rivalizar por el amor del padre.

En el final del cuento, la reina—madrastra—bruja es cruelmente castigada: se la condena a calzar unas zapatillas al rojo vivo (que simbolizan sus ardientes celos sexuales) y a bailar con ellas hasta morir. En ningún momento Blancanieves se siente culpable por infligirle tan horrible tortura: después de todo, sólo se trata de su madrastra; la figura de la madre, muerta, disociada de la realidad, puede mantenerse en toda su pureza. El amor y el respeto que Blancanieves le profesa nunca ha dejado de existir. No es ella la celosa, la competitiva, sino la *otra*, la *madrastra*.

• **Cenicienta, una historia de rivalidad**

Cenicienta es otro cuento muy antiguo —quizás el más difundido en el mundo— que deja firmemente establecido el siniestro papel de la madrastra. Si bien la historia se refiere ante todo a la rivalidad entre hermanas —siempre en la tendencia de la disociación, aquí las hermanas "malvadas" son remplazadas por hermanastras— la madrastra es un personaje que rebaja a la heroína, condenándola a realizar los más pesados trabajos domésticos, a vivir entre las cenizas de la cocina y, en fin, a aislarse del medio social que le corresponde por derecho propio.

Aunque existen diversas versiones de este cuento —comenzando por una historia gestada en China, en el siglo IX d.C., y terminando por el dibujo animado de Walt Disney— todos conocemos la historia básica. Cenicienta vive con su padre viudo, que adora a la hija, pero necesita también de otra clase de amor; se casa con una nueva mujer, una viuda con hijas propias, y lleva a todas ellas a vivir a su casa. La madrastra resulta ser una arpía que apaña a las hermanastras en su rivalidad con Cenicienta. El hecho de que la muchacha sea la más bella de todas no hace más que avivar el odio y los celos; la belleza queda oculta bajo las cenizas y los harapos, mientras que madrastra y hermanastras se adornan con las telas y joyas más valiosas que pueden encontrar.

Cenicienta, por su parte, no se atreve a quejarse a su padre —dado que éste está muy enamorado de su esposa— y se limita a sufrir en silencio. Esto sugiere que la rivalidad de la niña no estaba dirigida en realidad hacia sus hermanas, sino hacia su madre, representada por la cruel madrastra. (Un hecho poco conocido es que en la primera versión europea, "La Gata Cenicienta", de Basile, la jovencita detesta a la segunda mujer de su padre, y pide ayuda a su nodriza para librarse de ella. Siguiendo los consejos de la nodriza, mata a su madrastra asestándole un golpe con la tapa de un baúl. Pero el padre se casa por tercera vez, ahora con la mismísima nodriza; esta segunda madrastra, ayudada por sus seis hijas, logra dominarla y la condena a la degradación de vivir entre las cenizas del fogón.)

Una noche, se celebra en Palacio un baile, en el cual el príncipe deberá escoger a su futura esposa. Madrastra y hermanastras obligan a Cenicienta a ayudarlas a ataviarse, pero a pesar de sus ruegos para que le permitan acompañarlas, la dejan encerrada junto al fogón, encargada de la humillante tarea de recoger dos platos de lentejas esparcidas entre la ceniza. Aparece entonces un hada madrina —nacida de una rama de peral que la joven había plantado sobre la tumba de su madre y regado con sus lágrimas—, quien le proporciona ricas ropas, joyas, carroza y caballos para asistir al baile. Como en otros cuentos, el hada representa a la madre buena, que aun desde la muerte acude en ayuda de su hija.

El resto nos resulta familiar: al dar la medianoche, Cenicienta, que baila embelesada en los brazos del príncipe, huye para que éste no presencie el fin del hechizo. Por el camino, pierde un zapatito de cristal, que en su fragilidad representaría el himen que la joven debe cuidar para entregarlo sólo al marido-príncipe. Según las diferentes versiones, el joven manda emisarios a probar el zapatito en las jóvenes del reino, o lo hace él mismo. En su afán de sustituir a Cenicienta en el amor y en el trono del príncipe, las hermanastras, instigadas por su madre, se cortan los dedos del pie o un trozo de talón para poder ponerse el pequeño zapato; sin embargo, esta estratagema es denunciada por los pájaros mágicos que han ayudado a Cenicienta en otras ocasiones, y que señalan al príncipe la sangre que fluye en el zapatito.

La real boda se celebra por fin, y Cenicienta accede a la posición de reina—mujer adulta, aunque las versiones difieren también aquí. Las más benignas hacen que Cenicienta perdone a su madrastra y hermanastras, y que case a estas últimas con chambelanes de la corte. Las más sanguinarias cuentan cómo las malvadas hermanastras, que acuden a la boda con la esperanza de congraciarse con la joven esposa, son cegadas a picotazos por los blancos pájaros mágicos que ya habían revelado sus automutilaciones.

Los cuentos de hadas poseen ciertamente un rol formador en la primera infancia: *Blancanieves* advierte que es necesario prevenirse contra los celos y el narcisismo, mientras que *Cenicienta* argumenta que, por más que un niño pueda sufrir en un determinado momento —a causa de la rivalidad con sus hermanos u otras razones— si es capaz de sublimar su dolor y de apelar a sus afectos, podrá solucionar sus problemas por sí mismo y llevar una vida más agradable. Sin embargo, cumplen también un rol deformador, al atribuir a la segunda mujer del padre la causa de la mayoría de los dolores, humillaciones y tragedias domésticas. El personaje de la madrastra queda indisolublemente ligado a la cualidad de "malvada" y "perversa", cuando no de asesina. Y éste, lamentablemente, también es un mensaje que tanto adultos como niños tenemos profundamente grabado, y al que resulta difícil escapar.

DE LA SELVA NEGRA AL POLO NORTE

La mala reputación de las madrastras no es exclusiva de la sociedad occidental y cristiana. Aun en pueblos remotos, como el de los esquimales de Canadá, existen antiquísimas historias que muestran la connotación malvada del personaje de la madrastra en el imaginario popular, incluso en culturas diversas y alejadas entre sí. Una de ellas es la "Leyenda del loon":

"Había una vez una pequeña familia en una zona solitaria y rodeada por los hielos, formada por una mujer y sus dos hijastros, un varón y una niña. El niño tenía el brazo fuerte y el ojo certero, y en su pubertad se convirtió en un gran cazador.

"Sin embargo, la habilidad de su hijastro irritaba a la madrastra. Ella debía despellejar y limpiar las presas, y a medida que el joven aumentaba su pericia como cazador, también crecía el trabajo de la mujer, que una noche mezcló la ceniza del fogón con un poco de suciedad y grasa de caribú, y untó con esta pomada los ojos del muchacho dormido. El joven perdió la vista, aunque nunca sospechó la causa de su ceguera. Ya no pudo salir a cazar, y permaneció en el iglú, tirado sobre unas viejas pieles. La madrastra tuvo que salir de cacería, y aunque menos fuerte y hábil que su hijastro, logró mantener viva a la familia.

"Un día, la madrastra llamó al joven, diciendo que se acercaba un oso polar, y le ordenó que le arrojara su arpón: ella, que veía, guiaría su brazo. Así lo hicieron, y el muchacho percibió, por el sonido del arma, que había dado en el blanco. Sin embargo, su madrastra le dijo que el arpón se había clavado en un viejo trozo de cuero, y que el oso había huido. Poco después, el hijastro olió que cocinaban la carne del animal, aunque él sólo recibió un trozo de perro viejo. Angustiado, se dio cuenta de que lo engañaban.

"Llegó la primavera y comenzó el deshielo. Un día, el muchacho recibió la visita de un ave acuática —que los esquimales llaman "loon"—, quien le preguntó cuál era su mayor deseo. "Volver a ver", contestó él. El ave lo llevó a la orilla del mar, donde le reveló que su madrastra lo había cegado. Luego le dijo: "Móntate en mi lomo, y aférrate a mi cuello. Me sumergiré en el mar, para lavar tus ojos. Cuando sientas que te asfixias, sacude tu cuerpo y yo saldré a la superficie". El joven obedeció con temor, porque el loon es un pájaro pequeño, y temía que no pudiera soportar su peso. El ave se sumergió profundamente, y el muchacho sintió que el cuerpo del loon comenzaba a crecer entre sus piernas. Cuando no pudo contener más la respiración, sacudió su cuerpo, y el loon salió a la superficie. Dos veces más se sumergió el ave, y al emerger la tercera vez el joven había recuperado la vista. Agradeció al loon, preguntándole qué deseaba a cambio de su bondad. El ave sólo le pidió que llevara comida a la orilla del mar para que los suyos no pasaran hambre. El muchacho así se lo prometió. Luego regresó al iglú, y continuó fingiéndose ciego, mientras aguardaba la ocasión de la venganza.

"Pocos días después, la madrastra le dijo: 'Se ven algunas ballenas cerca de la costa. Ven conmigo para que podamos arponearlas'. El hijastro la siguió y vio que pasaban tres ballenas: una pequeña, una mediana, y una blanca y gigantesca. La madrastra le indicó cómo apuntar a la ballena pequeña.

"El joven dijo que temía perder el arpón si apuntaba mal, y le propuso a la mujer que se atara el largo tiento de cuero que pendía del arma alrededor de su cuerpo. Ella así lo hizo, y el hijastro dirigió su arpón a la gran ballena blanca. Al sentirse herida, ésta se sumergió, llevándose consigo al arpón y a la madrastra. De vez en cuando, reaparecía en la superficie, y entonces se oían los desesperados gritos de la mujer."

Este cuento se refiere al tabú del incesto. El hecho de que el hijastro fuera un gran cazador en la pubertad, no sólo ponía en peligro la autoridad de la madrastra como jefa de familia, sino que simbolizaba el crecimiento y la virilidad del joven. Dado que las únicas mujeres en la zona eran su madre-madrastra y su hermana, la madre lo castra simbólicamente mediante la ceguera. El ave —cuyo cuerpo crece entre las piernas del hijastro— representaría la virilidad recobrada, que le posibilita vengarse de la madre castradora. La muerte de ésta permite al joven acceder a la sexualidad y tomar el lugar de jefe de la familia y de principal proveedor.

He relatado esta historia —desconocida para los lectores de habla hispana— para subrayar los muchos elementos que comparte la mitología esquimal con la cultura centroeuropea en este aspecto: la madre castradora es disociada y derivada a la malvada madrastra, cuyo castigo y desaparición permiten el pasaje del hijo a una etapa más madura de la vida. Como en *Cenicienta* y en *Blanca Nieves*, seres mágicos salvan al hijastro de su triste condición y castigan a la madrastra. La figura de ésta como símbolo de *mala madre* es más universal de lo que parece a primera vista: se extiende desde la Selva Negra al Polo Norte, con todas sus paradas intermedias.

A QUIEN NO LE VENGA EL SAYO, QUE SE LO PONGA, DE TODOS MODOS

Las connotaciones siniestras que rodean la imagen de la madrastra —y en menor medida, la del padrastro—, significados que hemos absorbido desde la más tierna infancia, explican en parte la aprensión con que tanto madrastras como hijastros abordan el vínculo.

Las palabras madrastra y padrastro están cargadas de muerte, no sólo porque implican una madre o un padre que se han muerto y que han sido remplazados por otros, sino porque en los cuentos de nuestra infancia, las madrastras odian invariablemente a sus hijastros, los maltratan y los quieren matar. La madrastra quiere que los hijastros desaparezcan, y éstos, a su vez, se vengarán cruelmente tan pronto puedan hacerlo. Este preconcepto se aplica mucho más a la madrastra que al padrastro, aunque la prensa cotidiana y la experiencia clínica nos muestren que la mayor parte de los casos de violencia sobre los hijos están producidas por hombres, sean éstos padres o padrastros.

"Los padrastros crueles posiblemente sean más frecuentes en la realidad que en la ficción. Los resultados de recientes estudios sobre el abuso sexual y la violencia contra los menores indican que existe un especial peligro en el caso de algunos padrastros, generalmente jóvenes, desempleados y que se sienten poco responsables de los hijos de la mujer con la que viven. Afortunadamente, la mayoría de los padrastros son cariñosos y responsables, pero de todos modos, el peso de las familias 'reconstituidas' recae siempre sobre las madres y madrastras", afirma Helen Franks, autora de *Volver a casarse. El comienzo de una nueva vida.*

A pesar de este desagradable sayo que les cae encima —les quede a medida o no— al integrar una nueva formación familiar, la gran mayoría de las madrastras y padrastros no son protagonistas de la crónica policial, antes al contrario. La mayor parte de las personas, sobre todo las mujeres, abordan la nueva familia con la imagen idealizada de que se harán querer por los hijos de su marido, de que los harán propios mediante el afecto, y de que podrán depositar en ellos su maternidad.

36

Algunas veces esto es posible y otras no, dependiendo de numerosos factores personales, del entorno familiar, y de cómo fue resuelta la separación anterior. No hay que olvidar que se trata de un vínculo forzado, no elegido; de algún modo, se asemeja a lo que pasa con las familias políticas: uno no las escogió, pero en aras de la paz y la armonía familiares, tiene que desarrollar el vínculo de la manera más tolerante respetuosa —y preferentemente afectuosa— que sea posible.

Ante la solidez de los prejuicios al uso, ¿existe la posibilidad de establecer una relación de cariño, tolerancia y respeto con los hijos de la pareja?

Sí, la experiencia indica que es factible, aunque de acuerdo a los casos consultados y a la opinión de algunos psicoterapeutas, la relación con los hijos de la pareja depende de una infinidad de factores: la edad y el sexo de los padrastros, edades y sexos de los hijastros, características personales, actitud de los progenitores, aceptación de la nueva familia por parte de la familia extensa y de la comunidad...

¿Es posible quitarse el sayo maldito, alejar las etiquetas de un puntapié, entrar en una nueva pareja y una nueva familia, no como un monstruo en potencia, sino como un adulto dispuesto a dar y recibir afecto? ¿Cuál es el proceso que atraviesan las parejas, las madrastras, en fin, las familias de nuevo matrimonio, en su formación y consolidación? Este tema se desarrolla, mediante el estudio de casos reales, en los próximos capítulos.

Ideas para compartir
(Para progenitores, madrastras y padrastros)

- Madrastras y padrastros son una minoría culturalmente desfavorecida. Pero si usted es uno de ellos, no tiene por qué cargar gratuitamente con esa reputación infamante. Comience por dejar de lado la idea de que son "los malos de la película", y descárguese de culpas ajenas, por lo demás imaginarias.

- No sólo los niños están prevenidos contra madrastras y padrastros, debido a las deformaciones culturales: los adultos también han incorporado estos conceptos. Numerosos padres, que se casan por segunda vez, temen que sus nuevos cónyuges sean demasiado severos con los hijos del primer matrimonio, aun antes de que se haya establecido una relación entre ellos. Converse con su pareja sobre este tema, para ahuyentar prejuicios que podrían interferir la armonía familiar.

- No le otorgue importancia a la falta de un *nombre* que describa la relación con sus hijastros. Lo más probable es que éstos le llamen por su nombre de pila. Pero puede jugar con esta idea, organizando concursos caseros para inventarle un nuevo nombre a la mujer del padre o al marido de la madre.

- Invente cuentos en los que madrastras y padrastros son los buenos de la historia, especialmente si tiene hijastros pequeños, y si les cuenta cuentos antes de dormir.

2

El divorcio,
tan deseado y tan temido

La de-construcción de la familia

Es inútil llorar sobre las libretas de matrimonio derramadas. Para la mayor felicidad o infelicidad de sus protagonistas, las separaciones, divorcios, segundas o terceras parejas, y nuevas familias, son una parte muy concreta de la realidad actual.

Si bien este libro no se concentra en el divorcio (existe ya al respecto una abundante y accesible bibliografía), **es importante hacer una breve visita por el proceso de separación, ya que éste afectará la formación de una nueva pareja, la relación de los padres con los hijos e, inevitablemente, la relación de las madrastras y padrastros con los hijos de su pareja.** En este capítulo se describen las primeras etapas del camino al divorcio, y sus efectos sobre la vida y relaciones de padres e hijos.

Tratar de minimizar los impactos del divorcio sería a la vez ingenuo e insincero; éste es un proceso doloroso y traumático, no sólo para la pareja que se separa, sino también para el grupo familiar que los rodea: hijos, en primer lugar, pero también padres, hermanos, amigos. Sin embargo, una gran parte del dolor, la desorientación y la confusión afectiva que se genera en las familias que atraviesan esta experiencia no se debe tanto al divorcio en sí, como al proceso obligado de reorganización familiar que le sigue.

La organización del grupo familiar durante y después de la separación de la pareja original es un proceso que va evolucionando con el tiempo, en diferentes etapas. Cada una de ellas tiene sus características específicas, que van cambiando al ritmo de los propios integrantes de la familia, pero también con la evolución de la sociedad.

Hasta hace pocas décadas, el divorcio era considerado un estigma social. En nuestros días, en que las presiones sociales tendientes a que el matrimonio dure "hasta que la muerte los separe" se han distendido, el posdivorcio puede ser desdramatizado y reconocido como un ciclo de vida familiar diferente al de las familias "intactas". Por lo demás, tanto terapeutas como abogados tienden a admitir que mantener forzadamente un matrimonio "por el bien de los hijos" se considera menos conveniente que hace unas décadas para su salud emocional. De hecho, algunos estudios clínicos indican que los niños criados en hogares conflictivos, donde los padres permanecen juntos por los hijos, se sienten mucho mejor cuando los padres se separan y el hogar deja de ser un campo de batallas cotidianas. Más aún, R. E. Emery —psicoterapeuta estadounidense especializado en los hijos del divorcio—sugiere que algunos graves problemas de infancia pueden derivar más de largos conflictos conyugales que del divorcio en sí mismo.

Social e individualmente mejor aceptado, el ciclo de la separación, en vez de romper el grupo familiar, lo torna más amplio y complicado, agregándole nuevos miembros, otros grupos familiares: madrastras, padrastros, hermanastros, nuevos pares de suegros, abuelos... Como toda vida familiar, la de la "familia divorciada" es una sucesión de etapas, con momentos críticos y conflictivos cada vez que se evoluciona de una a otra.

"Creí que con mi separación empezaba un tiempo de soledad, que temía tanto como deseaba" cuenta Antonio, un historiador de 48 años. "Durante los últimos diez años, había vivido con mi esposa; mis dos hijos se habían sucedido muy rápidamente: en el momento de la separación, tenían cinco y cuatro años. Pero después de un año solitario conocí a Lucía, y comenzamos una relación que se fue haciendo más intensa con el tiempo. Empecé a quedarme en su casa, primero un par de noches, después durante semanas enteras. Antes de que me diera cuenta, estábamos viviendo juntos, y luego de otro año, decidimos tener un hijo nuestro. Cuando Arielito era todavía un bebé de pecho, mi ex mujer enfermó gravemente, y mis hijos mayores, que vivían con ella en la casa familiar, vinieron a vivir con nosotros en forma permanente. En muy poco tiempo, nuestro grupo familiar se había ampliado de una pareja central, a tres hijos, una ex cónyuge, cinco abuelos e infinitos tíos y primos. Cada uno de estos subgrupos tenía sus propios problemas, planteaba sus demandas y ejercía presiones. Tardamos muchos años, y tuvimos que atravesar infinitos conflictos, hasta llegar a manejarnos de una forma relativamente equilibrada con esta 'tribu' tan compleja".

UN CAMINO SIN ATAJOS: LAS ETAPAS DE LA SEPARACIÓN

Carlos Díaz Usandivaras, psicoterapeuta argentino dedicado a la terapia de familias, distingue en el ciclo de divorcio las siguientes etapas: pre-ruptura, ruptura, familia conviviente uniparental, cortejo o arreglo de pareja, nuevo matrimonio, familia reconstituida estabilizada, y destete de la pareja coparental o divorcio definitivo.

En este capítulo se describirán y desarrollarán las dos primeras etapas, que corresponden casi exclusivamente al proceso de divorcio. Las restantes, si bien describen también el ciclo de la separación, se refieren en cambio a la construcción de la nueva pareja, la aparición de madrastras y padrastros, y las características de las nuevas formaciones familiares, o "familias de nuevo matrimonio", y éste es un tema que merece más de un capítulo propio.

La etapa de pre-ruptura puede comenzar poco tiempo antes del divorcio, o bien ser la fase final de un estado de malestar crónico en la pareja, que finalmente se desestabiliza. Las razones para que esto ocurra son tan numerosas como las personas sobre la tierra. Puede suceder que ambos miembros de la pareja evolucionen de forma diferente a través de los años, o que uno de ellos no responda a las necesidades del otro como éste lo espera. Problemas relacionados con el entorno externo —como pérdidas de empleo, cambios de profesión, dificultades económicas, mudanzas a otra ciudad o país— o interno —muerte de un padre o de un hijo, desinterés o disfunciones sexuales, enfermedades físicas o mentales— pueden causar a la pareja una tensión excesiva, por la cual se culpan mutuamente, y que acaba por tornar intolerable la relación. En general, se comienza fantaseando con la separación y considerándola como un "mal menor" en comparación con los conflictos sufridos en el matrimonio. Luego, se rompe el equilibrio de la pareja y uno de los dos, o ambos, llegan a la difícil decisión de concretar el divorcio.

En numerosos casos, los miembros de la pareja se esfuerzan por evitar la ruptura definitiva, no sólo porque ésta representa el fracaso de un proyecto o ilusión importante, sino también porque desestabiliza profundamente al grupo familiar. La clásica frase "Continúo casado por mis hijos", que los maridos infieles deslizan en los oídos de las amantes impacientes —aunque sirva de escudo a los seductores profesionales—, no es del todo falsa: corresponde a esta fase, en que se reconoce íntimamente la ruptura del vínculo afectivo con la pareja, pero se intenta aún salvar la institución familiar.

Con desoladora frecuencia, aparecen sentimientos de odio y resentimiento, que pueden provocar no sólo la ruptura irreversible del vínculo, sino también un proceso de agresiones y violencias verbales y hasta físicas. A veces, la situación se *congela* en esta etapa, y los miembros de la pareja intentan renunciar a sus satisfacciones afectivas y sexuales en beneficio de su responsabilidad como padres, lo que resulta en un deterioro general de la familia.

Frecuentemente, uno de los dos inicia en esta fase una relación sentimental con una tercera persona, precipitando así la ruptura. Puede suceder que este vínculo sea duradero, y que el tercero en cuestión se convierta más tarde en el padrastro o la madrastra de la nueva formación familiar. O, como ocurre con frecuencia, que sea sólo el instrumento para hacer estallar un conflicto que se estaba volviendo insoportable. **Sea cual** fuere el destino de esta nueva relación, la experiencia de abogados y psicoterapeutas indica que este tipo de divorcios lleva a organizaciones familiares mucho más conflictivas en el futuro. Por un lado, se reducen las posibilidades de acuerdo entre los padres con respecto a la función co-parental: la crianza, alimentación, acompañamiento afectivo, establecimiento de normas de conducta y educación de los hijos. Por el otro, los sentimientos de haber sido engañado y traicionado en uno de los cónyuges, y los de culpabilidad en el otro refuerzan paradójicamente las ataduras de la pareja y dificultan la separación real. El verso de un poema de Jorge Luis Borges referido a Buenos Aires: "No nos une el amor, sino el espanto", puede aplicarse a numerosas parejas que luchan por (y a veces, contra) su divorcio afectivo.

La historia de Damián, un economista de 45 años, dinámico y emprendedor, ilustra este caso. "Me casé a los veinticuatro años, muy enamorado. No obstante, quince años y dos hijos más tarde, me sentía cada vez más insatisfecho con mi matrimonio. Mi mujer se había detenido en una forma de inercia vital, en la que se interesaba por muy pocas cosas fuera de la casa y de un empleo más bien chato. Le costaba mucho formular proyectos para el futuro. En cambio yo —a riesgo de que suene a lugar común —, ahora que los chicos eran adolescentes, insistía en que nos permitiéramos cambios de trabajo, viajes, en fin, todo lo que no habíamos podido hacer antes. Era inútil: ella presentaba una sorda e invencible resistencia. Algunas veces llegué a plantearle la posibilidad de separarnos, pero su actitud fue de tal desamparo, escudándose en las necesidades afectivas y económicas de nuestros hijos, que decidí no insistir y soportar la insatisfacción como pudiera. En esa época conocí a una colega de la que me enamoré y con quien mantuve una relación muy apasionada durante un año y medio. Durante ese período, me sentí sin embargo muy desdichado, lleno de remordimientos y culpa. Mi mujer terminó por enterarse de la situación, lo que provocó escenas trágicas. Finalmente, resolvimos seguir juntos "para terminar de criar a los chicos", y rompí con mi amante. Pero esa herida en mi matrimonio no cerró nunca: un año después, nos separamos definitivamente. Tardé dos años más en iniciar una nueva relación de

43

pareja; aún así, me sentía culpable de esto ante mi ex mujer y mis hijos, como si se tratara de una nueva infidelidad."

En casos como el de Damián, la pareja se encontraba ya divorciada emocionalmente, y la relación con el o la amante es sólo la "última gota" necesaria para la ruptura. Sería preferible, para la futura reorganización de la familia —incluida la inserción de las nuevas parejas de los cónyuges—, que se pudiera *anticipar* y concretar un divorcio menos pasional y destructivo, dentro de un contexto de lealtad y respeto que permitan un buen desarrollo de la función coparental ulterior.

Los divorcios realizados gracias a la intervención de "**otro**" pueden ciertamente llegar a desenlaces felices, pero también pueden tener consecuencias graves en el porvenir de la familia y en las próximas parejas de los cónyuges. A los 24 años, Paula, estudiante de arquitectura, se había divorciado de su primer marido —ella lo llamaba "un error de adolescencia"—, y vivía con su hijo de cinco años. Acuciada por una situación económica difícil, comenzó a trabajar como dibujante en el estudio de Fernando, un exitoso arquitecto. A los pocos meses, su jefe —casi veinte años mayor que ella, y cuyo matrimonio estaba ya muy deteriorado— advirtió a la tímida y bonita dibujante, y se propuso conquistarla. La relación sentimental se desarrolló lentamente; ella se sentía a la vez deslumbrada por Fernando, y poco merecedora de su atención. El arquitecto terminó por divorciarse, y llevó a Paula y a su hijito —con quien estableció un excelente vínculo— a vivir a su casa, mientras que su ex mujer y sus dos hijos, de 17 y 19 años, se mudaban a un departamento cercano.

Esta pareja representaba para la joven, no sólo la concreción de un sueño romántico —estaba genuinamente enamorada de Fernando— sino el cumplimiento del deseo de progresar social, profesional y económicamente. Sin embargo, los sentimientos de culpabilidad —creía ser la causante del divorcio de su actual marido— la torturaban. Sus hijastros le demostraban una hostilidad evidente, pues efectivamente la consideraban culpable del "abandono" de la madre y de su "destierro" de la casa familiar, a pesar de que se habían establecido acuerdos económicos que les resultaban favorables. Poco después de iniciada la convivencia, Fernando, presionado por pro-

44

blemas laborales y por su propia situación personal, sufrió un infarto de miocardio, del que se recuperó. Sin embargo, Paula asumió inmediatamente la culpa y la responsabilidad, tanto por la separación como por la enfermedad de su marido. La ex esposa y sus hijos reforzaron este sentimiento, acusándola públicamente en la clínica donde el marido estaba internado de "empujarlo hacia el divorcio y la muerte". Su forma de demostrarse a sí misma y al mundo su inocencia fue pagar con el cuerpo: desarrolló una artritis reumatoide que le deformó las manos. Era como si expresase: "Miren mis manos, vean cómo sufro. Es cierto, Fernando puso el corazón, pero yo perdí el uso de una parte de mi cuerpo".

Poco más tarde, la situación se alivió. Paula inició una psicoterapia donde elabora sus sentimientos de culpabilidad; su artritis se ha detenido. Al entender mejor los sentimientos de Paula, Fernando acudió en su ayuda, asumiendo la responsabilidad de su propia separación ante ella, su ex mujer y sus hijos. Por lo demás, éstos desarrollaron una mejor comprensión de la situación, y su relación con su madrastra, sin llegar a ser un modelo de afecto familiar, ha mejorado notablemente.

Paula es un caso particular de sentimientos de culpabilidad exacerbados. No obstante, su nueva pareja podría haberse desarrollado con menos conflictos si Fernando hubiera podido llegar a la separación sin escudarse en la relación con ella o, al menos, si hubiera podido admitir, ante sí mismo y su nueva pareja, que su matrimonio estaba ya emocionalmente concluido antes de conocerla.

Las tensiones entre dos integrantes de una pareja tienden a disminuir con la inclusión de un tercero en el conflicto. No siempre éste es un amante. Con frecuencia, ocurre que se introduce a los hijos como tercero en el proceso de separación, haciéndolos participar en el dolor y la cólera de los cónyuges o, peor aún, poniéndolos en el papel de árbitro de las disputas. Los hijos atrapados en esta situación desarrollan entonces síntomas de algún tipo —fracasos escolares, irritación, retracción, berrinches, regresiones, adicciones, huidas del hogar u otros— dado que, en sus propios intentos de impedir el cambio representado por el divorcio, quedan presos de la triangulación o del juego de las alianzas o coaliciones de la pareja.

"La relación con mi marido se había vuelto muy conflictiva desde hacía algunos años. Intentamos terapias de pareja para salvar nuestro matrimonio, pero finalmente la separación apareció como inevitable, al menos para mí", relata Luisa, una rubia y elegante abogada de 34 años. "Mi marido no manifestaba deseos de divorciarse, aunque tampoco hacía esfuerzos para salvar nuestra pareja. Finalmente, tras largas discusiones, convinimos en que se mudaría a un departamento propio, que ambos reflexionaríamos, y que estudiaríamos los términos de un divorcio civilizado. Así se hizo. Hasta aquí, todo parecía bastante aséptico; Patricia, nuestra hija de nueve años, no parecía demasiado afectada por nuestra situación. Sin embargo, a las pocas semanas, supe por amigos comunes que mi marido había viajado a Brasil con una mujer, a la que describían como "muy joven y espectacular". Me sorprendió mi propia y desenfrenada reacción de rabia y celos. En mi dolor, le conté a mi hija la *infidelidad* de su padre, acusándolo de abandonarnos, e instándola a ponerse de mi lado. El sufrimiento de Patricia fue tremendo: lloraba durante todo el día, se negaba a asistir a la escuela y, cuando su padre volvió, rehusó verlo. En ese momento recobré un poco de lucidez; llevé a mi hija a un psicoterapeuta, con quien mi marido y yo tuvimos también algunas sesiones. Felizmente, el mal no había sido demasiado grave. Actualmente, Patricia está aún en terapia, ha recobrado su carácter sociable y despreocupado, y nosotros estamos estudiando la posibilidad de reanudar nuestra relación de pareja en otros términos."

No es fácil "prevenir" un mal divorcio, por más inteligentes y bien intencionados que sean los integrantes de la pareja. Sin embargo, provocar la participación de los hijos en el conflicto, resulta catastrófico para su salud mental y afectiva. Es preferible recordar que la separación es un problema de la pareja y que debe resolverse estrictamente entre ellos, en aras de los intereses de los hijos... y en los de la nueva pareja que muy probablemente, se formará en algún momento futuro.

La etapa de ruptura se produce cuando la pareja acaba por aceptar su incapacidad de resolver sus conflictos o de desarrollar una relación matrimonial satisfactoria. Como en el caso de Luisa, no siempre esta aceptación es compartida por ambos miembros. La estadísticas de Estados Unidos indican que, **en el 85% de las parejas que inician su proceso de divorcio, uno de los cónyuges no desea divorciarse.**

Estos tirones entre el iniciador del divorcio y el cónyuge que se niega a concedérselo vuelven la situación aún más difícil, pues pone sobre el tapete los falsos papeles de "víctima" y "victimario", "culpable" e "inocente", reforzados por el sistema jurídico y por las presiones familiares. Tales rótulos suelen ser inexactos, porque el causante de la separación no es necesariamente el cónyuge que ha precipitado el conflicto o el que inicia el juicio de divorcio. Generalmente, ambos miembros de la pareja, cada cual a su modo, precipitan la crisis que culmina en la separación.

En esta etapa, cada uno de los integrantes de la pareja se enfrenta a dos tareas importantes y no siempre fáciles de realizar:
— Admitir la inevitabilidad del divorcio y encarar la vida como un individuo, separado del dúo anterior.
— Analizar y aceptar la propia responsabilidad y participación en el fracaso del proyecto de pareja.

Para los ex cónyuges, **lo más importante en esta fase es la elaboración del divorcio emocional,** ya sea por sí mismos o con la ayuda de psicoterapeutas, amigos o familiares. Sin embargo, aún en esta delicada y dolorosa fase de la separación, existe una zona que debe preservarse indivisa: es **la función co-parental**, para la cual debe mantenerse un vínculo —por mínimo que sea— con la ex pareja. **El matrimonio con hijos es, tal vez, el único caso de sociedad en el que los "socios" que se separan deben continuar vinculados en otro nivel, el de la sociedad parental.**

Los sentimientos de los miembros de la pareja en este período suelen ser respectivamente de culpa —para quien tomó la iniciativa concreta de la separación, aunque el otro lo haya empujado a ello— y de pérdida de autoestima, para el cónyuge "abandonado". A veces, la confusión de las funciones maritales y parentales puede llevar a que estas manifestaciones se extiendan a la relación con los hijos. Puede ocurrir que el cónyuge "culpable" busque en los hijos la absolución de sus sentimientos de culpa. O suceder que una mujer "desconfirmada" en su rol de esposa busque en los hijos ser confirmada como madre, exagerando el vínculo y encerrándose con ellos en una familia uniparental que no admita la entrada de otras personas. O, en el otro extremo, que uno de los miembros de la pareja, afectado por sentimientos de inseguridad y fracaso, abdique completamente de su función parental. En el caso de Vera, la primera mujer de Antonio —el historiador que relata su caso al principio de este capítulo—, su larga enfermedad (en este caso, se trataba de una grave dolencia mental) le sirvió a la vez para renunciar a su función maternal, y para cargar a Lucía, la nueva pareja de su ex marido, con responsabilidades para las que no estaba preparada. El precio que Vera pagó, sin embargo, en internaciones y sufrimiento, no parece compensatorio por lo que ganó: hasta ahora, trece años después, la pareja conformada por Antonio y Lucía se encuentra viva y sólida.

En la película hollywoodense "La diabla" ("She-Devil"), una escritora de novelas rosas oportunista y de éxito, Mary Fisher (representada por la actriz Meryl Streep), seduce al marido poco escrupuloso de la obesa Ruth Patchett (Roseanne Barr), ama de casa de horizontes limitados. Pasado el primer momento de dolor, ésta decide vengarse: empieza por incendiar la casa familiar, en la que vive con sus hijos adolescentes. A continuación, deja a éstos en la casa de la flamante mujer de sus padre, con la orden implícita de romper la pareja mediante comportamientos disruptivos, y desaparece. Los chicos cumplen su misión al pie de la letra: alteran el orden de la casa, ensucian por doquier, se burlan de su madrastra, el niño mata al caniche mimado de ésta, y la niña intenta seducir al atractivo mayordomo mexicano. Mientras Mary descuida su labor literaria tratando inútilmente de imponer disciplina a la familia instantánea que le ha caído encima, Ruth funda su propia agencia de empleos para mujeres sin amor. Desde allí continúa implementando el desquite, destruyendo la carrera del marido y finalmente, llevándolo a prisión mediante el descubrimiento de sus estafas como contador. En este caso, el abandono de su función maternal es uno de los instrumentos que llevan efectivamente a la destrucción de la relación del marido con Mary y al eventual retorno de él a la primera familia. El efecto sobre los hijos, por el contrario, parece alarmante: botados como pelotas de ping-pong entre un padre indiferente, una madre que los utiliza como armas y una madrastra "a pesar de ella misma", expresan su dolor con rebeldías, consumo de alcohol, y tentativas de sexo prematuro. Si bien la mayoría de las mujeres y hombres "abandonados" no llegan hasta estos extremos, muchos reconocen que fantasías similares suelen poblar sus noches de insomnio.

Como en esta etapa se negocian los acuerdos legales y económicos, como la tenencia, el régimen de visitas, la manutención de los hijos y otros (temas que se desarrollan en los Capítulos 9 y 10), **es necesario considerar cuál es la mejor solución posible para los hijos**. Enfocar las negociaciones sobre los intereses de los hijos suele ayudar a unificar y a totalizar más la situación, suavizando las aristas de los enfrentamientos —frecuentemente mezquinos y agresivos— entre los padres.

Las familias de origen de ambos miembros de la pareja, así como sus amigos, suelen participar en mayor o menos medida en este período de la separación. No hay que olvidar que un divorcio ejerce efectos perturbadores sobre las personas vinculadas al grupo familiar, haciéndoles cuestionarse a veces sobre la validez de sus propios matrimonios. Esto está perfectamente ilustrado por la película "Maridos y esposas", de Woody Allen, en la cual una pareja aparentemente sólida de intelectuales neoyorkinos —Woody Allen y Mia Farrow— se horroriza ante el anuncio de la separación de una pareja de amigos, e intenta disuadirlos. Finalmente, esta pareja termina por re-unirse, mientras que los personajes representados por Allen y Farrow se divorcian.

Si parientes y amigos actúan como sostén de los miembros de la familia afectados, brindándoles una escucha cálida y una contención afectiva, o colaborando prácticamente —ofreciéndose a llevarse a los niños pequeños por un fin de semana o unas vacaciones, por ejemplo, a fin de que los padres puedan dirimir sus cuestiones sin testigos— pueden ser una ayuda inapreciable. Si, por el contrario, participan intentando ejercer presiones a favor o en contra de la separación, llevando y trayendo información sobre uno u otro cónyuge, poniendo en primer plano sus propias frustraciones ante la situación —no pocos padres consideran el divorcio de sus hijos como un fracaso personal—pueden contribuir a empeorar la ya dolorosa coyuntura.

LA CEREMONIA DE DES-CASAMIENTO

En Estados Unidos y en Gran Bretaña, existen **ceremonias de divorcio o de "descasamiento"**, que ayudan a los miembros de la ex pareja a dar vuelta la página sobre el matrimonio. Esto resulta útil, no sólo para los casados que se divorcian legalmente, sino también —y sobre todo— para parejas en uniones de hecho o consensuales: al no existir en este último caso el divorcio legal, es también más difícil asumir el divorcio emocional. Un ritual de este tipo ayuda a reconocer, ante sí mismo y la sociedad, el compromiso de divorcio, así como el pasaje por el registro civil o el templo había consagrado el compromiso del casamiento.

La ceremonia de descasamiento consiste en que un funcionario civil (o un sacerdote, pastor o rabino, dependiendo de la religión de los descasados) recibe a ambas partes, y les ayuda a hablar sobre las buenas y malas épocas que pasaron juntos, y las cosas que tienen que perdonarse mutuamente. Luego se le ofrece a la pareja un momento de soledad para que se despida. Después, el funcionario invita a cada esposo a efectuar una declaración formal, reconociendo que su matrimonio ha terminado, que se está despidiendo y separando del otro. La esencia de estas ceremonias reside en aceptar la pérdida y el fracaso con sencillez y dignidad. Nada le impide organizar este ritual por su cuenta, haciendo que lo coordine un abogado, un representante de su religión, un terapeuta o un amigo muy querido de la pareja.

Los rituales, ya sean tradicionales o innovadores, como en este caso, ayudan a marcar el pasaje de una etapa de la vida a otra, del matrimonio que terminó a la libertad para estar solo o para construir una nueva pareja.

IDEAS PARA COMPARTIR

- Las familias no son instituciones estáticas: son organismos vivos y, como tales, pasan por muchos cambios a través del tiempo.

- Es conveniente hablar francamente con los hijos con respecto al divorcio —evitando culpar por él al otro progenitor— de modo de deslindar la separación del padre o de la madre de la construcción de una nueva pareja. Esto facilitará posteriormente la relación de los hijos con el nuevo cónyuge.

- Considere que los niños son capaces de afrontar pérdidas importantes cuando existe alguien que les ofrece amor, comprensión y apoyo para que puedan expresar libremente su tristeza y sufrimiento.

- La terapia de grupo con otros hijos de parejas divorciadas puede ser sumamente valiosa para los niños cuyos padres se están separando. El terapeuta puede crear un entorno en el que los chicos puedan desahogar su dolor, explorar sus propios sentimientos, comprender la crisis por la que atraviesan, conseguir apoyo mutuo entre sus pares, y considerar las opciones posibles para manejarse en las situaciones difíciles que pueden llegar a producirse.

- Es necesario que los progenitores y sus nuevas parejas comprendan que el divorcio del ex cónyuge no los divorcia como padres: hasta que los hijos se independicen, deberán conservar una relación co-parental con su ex pareja. Cuanto más fluida sea ésta, tanto más redundará en beneficio de los hijos comunes.

- Los lazos familiares no se disuelven cuando los padres se separan: sólo cambian de forma. Por lo tanto, es necesario crear nuevas formas de relacionarse.

- Aún los niños pequeños son capaces de percibir lo que sucede en la familia, a través del clima afectivo reinante. No subestime esa sensibilidad, pero no la dramatice. Considere también que muchos niños consiguen desarrollarse bien a pesar de las dificultades y conflictos de sus padres.

• Recuerde que los hijos no pueden —y no deben— llenar el vacío de una pareja.

• Trate de conservar una buena relación (cortés, si no amistosa) con su "ex": esto facilitará notablemente los acuerdos de tenencia, y posteriormente, la circulación de los hijos entre las dos casas, evitando el sentimiento de "lealtades divididas" que frecuentemente asalta a los hijos del divorcio. Al no sentirse en el deber de proteger a uno de sus progenitores contra el otro y su nueva pareja, los hijos aceptarán más fácilmente a la madrastra o padrastro.

• Actualmente, existen grupos de reflexión para divorciados; éstos brindan apoyo emocional, ayudan a comprender la problemática que se atraviesa, y al mismo tiempo, sirven para conocer a otras personas fuera del círculo habitual.

3

Hola, hijo,
te presento a tu madrastra

Una vez decidido y encausado el proceso de divorcio de la pareja original, la familia se interna en nuevas etapas: la reorganización de la vida de padres e hijos, el nuevo descubrimiento de la vida de solteros, la aparición de novias y novios... y su presentación a los hijos. Este capítulo trata de estos puntos, describe sus características, recorre sus dificultades y propone estrategias para resolverlas.

LOS PADRES, ¿TIENEN DERECHO AL SEXO?

La etapa de "familia conviviente uniparental" se produce en general cuando ya se han negociado la mayoría de los acuerdos de tenencia y económicos. Habitualmente, los hijos viven con uno de los padres, y el otro progenitor los visita periódicamente, según el régimen de visitas acordado. De hecho, se está ante una familia dividida en dos polos; el psiquiatra estadounidense Ahrons llama a esto "familia binuclear": la vida de los hijos entre dos hogares va adaptándose a las características de cada grupo familiar. Por su parte, los adultos entran en un mundo diferente al que tenían cuando vivían en pareja.

El ritmo que caracteriza el desprendimiento del pasado

matrimonio, involucrarse en nuevas actividades laborales, sociales, recreativas y en otras relaciones afectivas o sentimentales, varía ampliamente según los individuos. Algunos lo toman como una oportunidad de explorar tanto su mundo interior como las potencialidades de su entorno exterior: se aprovecha la coyuntura para cambiar de trabajo, reanudar una carrera abandonada, desarrollar una actividad artística, extender el círculo de amigos o cambiar los antiguos —más relacionados con el ex matrimonio— por otros nuevos. Para otros, es un período de depresión y duelo, enfado y desesperación. Estos últimos son los que más tienden a denigrar a sus ex parejas, influir sobre los hijos en contra del otro progenitor, sumergirse en la autocompasión, y permanecer así encerrados en el divorcio.

La característica más frecuente en este período es el fuerte apego del padre o madre que posee la tenencia (el progenitor custodio) a sus hijos. En general, estos grupos están conformados por madre e hijos, aunque en la actualidad un número creciente de hombres busca y consigue la tenencia de sus hijos.

El peligro de estos fuertes lazos es la pérdida de las fronteras intergeneracionales (el padre o madre es "protegido" por sus vástagos: pierde su papel de progenitor, y se convierte en hijo de sus hijos. O bien, aun conservando sus responsabilidades parentales, establece una excesiva "democracia" doméstica —que con frecuencia se transforma rápidamente en anarquía—, renunciando o atenuando su autoridad y papel paternal, y causando confusión sobre roles o papeles, límites y normas de conducta). Al mismo tiempo, se refuerzan exageradamente las fronteras que separan a la familia del mundo exterior. El progenitor actúa como si no necesitase otro vínculo además del filial. Esta actitud se acentúa en los casos en que el otro progenitor está ausente o alejado.

Esta tendencia al encierro puede atribuirse al temor del divorciado/a a aventurarse en un mundo que le resulta diferente como individuo que como integrante de una pareja, en circunstancias en que se siente muy malherido. Como un niño que se ha quemado, debe explorar cómo acercarse al fuego y manejarlo, sin dañarse de nuevo. Por ejemplo, ante el riesgo de un compromiso afectivo con una persona del otro sexo, un divorciado puede sentirse vulnerable e inepto; a menudo se preocupa más por los riesgos de sufrir nuevamente el dolor de una separación —o, por el contrario, experimenta temor a que lo "arrastren" a otro matrimonio—, que por los sentimientos de afecto y compañía que pueda encontrar. Puede ser que se arriesgue a participar en actividades de grupos, o hasta que resuelva salir con alguien que le resulte atractivo, pero sólo dentro de ciertos límites, donde él o ella sientan que conservan algún tipo de control.

En la película *Papá por siempre* (*Mrs. Doubtfire*), la esposa (Sally Fields) se divorcia de un marido al que considera inmaduro (Robin Williams). Este, que no posee medios para mantener a sus tres hijos, no soporta sin embargo que no se le otorgue la tenencia de los niños. La solución que encuentra es disfrazarse de niñera inglesa, adoptar el nombre de Mrs. Doubtfire, y emplearse en la casa de su ex mujer, engañando a ésta y a sus hijos. Posteriormente, los chicos mayores descubren la superchería, y se convierten en cómplices de su padre. Aunque no haya sido ésta la intención de los productores cinematográficos, Mrs. Doubtfire proporciona un excelente ejemplo de padre que se encierra con sus hijos en una fortaleza artificial, eludiendo los cambios necesarios en su vida e impidiéndoselos a su familia. En ningún momento trata de recuperar a su ex pareja, aunque hace lo posible por sabotear la nueva relación de ésta con un atractivo ejecutivo: lo que trata de evitar es que sus hijos cuenten con otra figura paternal. Sólo una sucesión de accidentes quiebra la estructura de engaños construida por la falsa niñera. La ex esposa comprende la necesidad de flexibilizar el régimen de visitas, y se llega a un previsible "happy end". Contrariamente a lo que pasa con frecuencia en la realidad, los hijos no parecen conservar secuelas de la aventura.

A veces, la enfermedad física o psíquica de un hijo —producto o no del divorcio— se transforma en una trampa en la que el progenitor custodio se encierra con su prole. Factores como rebeldía adolescente, mal rendimiento en la escuela, promiscuidad sexual, adicciones u otros posibles síntomas de los hijos se transforman entonces en una perfecta justificación para que el progenitor rehúse enfrentar su vida, exceptuando sus deberes de madre o padre. Sin embargo, incluso padres con hijos sanos y equilibrados pueden caer en el círculo impenetrable del "padre recientemente divorciado con hijos a cargo".

Y, sin embargo, durante este peligroso período, algunos potenciales padrastros y madrastras hacen su aparición en la vida del grupo familiar, horadando la muralla china del aislamiento.

Magdalena, 38 años, divorciada desde hacía cuatro y propietaria de una próspera agencia de viajes especializada en ecoturismo, conoció a su marido, Andrés —un abogado de 42 años— cuando éste fue a contratar una excursión para sí mismo y sus hijos. "Yo estaba acostumbrada a hombres muy deportivos, dinámicos y alérgicos a los compromisos afectivos. Cuando Andrés entró en la agencia, tan tranquilo y hablando pausadamente, fue como si un oasis de calma hubiera entrado con él", cuenta. Magdalena se aseguró de que el viaje fuera excelente, y al regreso Andrés pasó a agradecerle sus servicios, invitándola a cenar. Comenzaron una relación en la que se veían sólo un par de veces por semana: Andrés estaba divorciado desde hacía menos de un año, había obtenido la tenencia de sus hijos (una niña de cinco años y un niño de diez) y vivía con ellos. "Al comienzo, este ritmo me convenía; ambos estábamos aún heridos por nuestras experiencias anteriores, y éramos muy cautelosos. Además, yo estaba muy ocupada con la agencia, y frecuentemente me ausentaba en viajes de trabajo. Sin embargo, a medida que pasaban los meses, y la relación se iba tornando afectivamente más comprometida, deseaba pasar más tiempo con Andrés. Pero, a pesar de que nos queríamos, él no parecía dispuesto a hacer un proyecto de pareja: los únicos proyectos que podía imaginar eran como padre. Me hablaba continuamente de sus hijos, pero evitaba presentármelos. Por lo demás, nos veíamos sólo los días en que los niños iban a visitar a la mamá. El jamás se quedaba a dormir en mi casa: no quería que sus hijos sospecharan siquiera que tenía una vida sexual. Yo me sentía cada vez más irritada: veía que padre e hijos estaban encerrados en un círculo impenetrable para mí, y probablemente para cualquier otra persona. Empezamos a tener discusiones y peleas. Finalmente, alrededor de ocho meses más tarde, me cansé de pasar fines de semana solitarios y de contentarme recibir sólo lo que con resentimiento vivía como 'el tiempo residual que le dejaban sus hijos' y decidí romper la relación", relata Magdalena.

Esta ruptura resultó útil: un mes después, tras haber reflexionado, Andrés insistió en reanudar la relación, planteando cambios importantes, como presentarle a sus hijos y desarrollar algunas actividades y salidas con ellos. Comenzaron a pasar más tiempo juntos y a asumir más claramente la relación de pareja, ante sí mismos y ante los niños. Los conflictos no desaparecieron completamente, pero fueron enfrentados desde una relación abierta frente a los hijos: la clandestinidad desapareció.

El derecho del progenitor a ejercer tanto su sexualidad como su afectividad fuera del grupo familiar es un tema fundamental en esta etapa. Si un hombre o una mujer no puede asumir y defender este derecho, queda condenado a hacer pareja con sus hijos. En el caso de Andrés, si bien los hijos manifestaron celos en varias ocasiones, su primera reacción fue de alivio: su padre tenía una nueva pareja; por lo tanto, ellos no estaban obligados a ser un escudo para su soledad. A partir de ese momento, los niños se sintieron más libres de hacer programas con amigos de su edad, y su vida de relación mejoró notablemente.

Algunos progenitores permanecen en esta etapa por tiempo indefinido, sin poder pasar a la siguiente. Esta situación puede acarrear un aumento de la confusión de los papeles familiares, así como de la patología de los hijos, particularmente si éstos son adolescentes. Es útil y deseable, para el progenitor, su eventual pareja y sus hijos, que se establezca, claramente y desde el principio, su derecho a la libertad sexual, de modo que no se sientan culpables ante sus hijos.

Sin duda, el hecho de que la familia quede en la etapa uniparental no es condición suficiente ni necesaria para que sus miembros desarrollen patologías. Tanto psicoterapeutas como demógrafos están de acuerdo en que actualmente existe una tendencia al aumento del hogar uniparental, así como a la estabilización de su funcionamiento interno. Una familia conformada por uno o más hijos y un padre o una madre que no han vuelto a formar una nueva pareja estable, pueden funcionar normal y satisfactoriamente, asegurando el crecimiento y desarrollo personal de sus miembros. **Lo fundamental para el** buen funcionamiento del grupo familiar en esta etapa es que no se encierren en el dúo progenitor-hijos, sino que sean capaces de incluir a terceros. En este caso, es preferible incluir por lo menos a dos: a un **tercero parental** —el otro progenitor— y a un **tercero marital** o que cumpla estas funciones, como la pareja (permanente o transitoria) del padre o de la madre.

El extremo contrario —hacer que los hijos frecuenten a numerosas parejas transitorias de los progenitores— también resulta desestabilizador. A ningún niño le gusta encontrar todas las mañanas una mujer diferente en la cama de su padre o en la mesa del desayuno. Lo más desable sería que el progenitor evalúe las cualidades de su nueva pareja para relacionarse positivamente con los hijos cuando se ha establecido con ella algún tipo de lazo afectivo, aunque no se encare un proyecto a largo plazo.

"CHICOS, ESTA ES MI NOVIA"

Es en esta fase cuando se plantea un problema que implica directamente a madrastras y padrastros: ¿Cómo se presenta la nueva pareja a los hijos? ¿Se le dice "Hijito, te presento a tu madrastra"?

En el caso de Magdalena, Andrés la presentó a sus hijos como *una amiga* —dado que aún no estaban seguros de su proyecto como pareja— y dejó que la situación evolucionara por sí misma. A medida que la pareja se afirmaba, su "status" como tal iba siendo reconocido ante los niños. Sin embargo, éstos se sintieron engañados. "Sabemos que ustedes son novios. ¿Por qué nos mienten, diciéndonos que son amigos?", plantearon sobre los espaguetis de un almuerzo dominguero. "Hay que reconocer que los chicos admitieron nuestra pareja como 'institución' antes de que nosotros mismos lo hiciéramos", confiesa Magdalena.

Muy diferente es el caso de Jeannette, empresaria, 39 años. Su pareja, Ricardo, un escritor de 44 años, no la presentó a sus dos hijitas hasta que estuvieron absolutamente seguros de su proyecto común, y comenzaron a planificar la convivencia. "Se tiene así la ventaja de la autoridad desde el comienzo:

Ricardo me presentó a las chicas como su mujer. Ellas no tuvieron que pasar por el proceso de dudas de los adultos con respecto a la pareja. Creo que esto facilitó mucho mi posterior relación con ellas", opina Jeannette.

Como en muchos aspectos de las nuevas formaciones familiares, no existen convenciones ni reglas al respecto: aún está por escribirse el "Manual de protocolo para familias de nuevo matrimonio". Lo más conveniente es que los padres hablen francamente con los hijos sobre las consecuencias del divorcio en su vida sexual y afectiva, adaptando la conversación a la edad y grado de madurez de los hijos. Puede explicárseles que, como hombre o mujer divorciados, tienen ahora los mismos derechos de los solteros, incluidos salir con amigos, tener novios, experimentar una o más relaciones si es necesario, y eventualmente construir una nueva pareja estable.

También se les puede advertir que a veces no dormirán en casa —asegurándose de que los hijos, si son muy jóvenes, permanezcan al cuidado de alguien— y subrayar que estas relaciones no ponen en peligro, de ninguna manera, el vínculo entre padres e hijos.

Si la discreción con respecto a las relaciones del progenitor es aconsejable, la clandestinidad no lo es. El padre o la madre tienen el absoluto derecho de preservar su intimidad y de no confiar a sus hijos cada salida o cambio de pareja, pero si una relación muy importante o prolongada es mantenida en silencio, los hijos acaban por percibirlo, y se sienten estafados. Por ejemplo, los hijos de Andrés atribuyeron acertadamente su primer ocultamiento de la relación con Magdalena a los sentimientos de culpabilidad del padre. Posteriormente, utilizaron el conocimiento de esta culpabilidad para múltiples chantajes afectivos que, si bien no destruyeron a la pareja, le provocaron numerosos conflictos.

Los hijos suelen reaccionar imprevistamente ante la aparición de novias o novios de los progenitores. El impacto varía de acuerdo con el número de hijos, sus edades, la duración del matrimonio, el sexo, las circunstancias que precedieron a la separación, y a la presencia o no de potenciales hermanastros. Los niños pequeños desean ardientemente que sus padres vuelvan a unirse, para tener de nuevo una familia "entera". Por esta razón, pueden ignorar o tratar groseramente a la nueva pareja del progenitor, que representa un obstáculo para el cumplimiento de esta fantasía. Si el "nuevo" ya tenía una relación sentimental con el progenitor antes del divorcio, es muy probable que el niño le aplique la etiqueta de "intruso", y que no se la quite, ni siquiera largo tiempo después de que se ha convertido en su madrastra o padrastro. Los adolescentes también pueden sentirse amenazados por una nueva relación afectiva de sus progenitores con otras personas —así como sentirse desconcertados ante la percepción de la vida sexual que sus padres comparten con sus nuevos compañeros— y suelen responder con berrinches o crisis. Esto se acentúa en el caso de hijos que después del divorcio se han apegado más al progenitor con el que viven. Es conveniente tener en cuenta estas posibles reacciones al presentarles a la nueva pareja.

A partir del reconocimiento de los nuevos derechos afectivos, sociales y sexuales de los progenitores, éstos pueden establecer las bases de una nueva etapa en sus vidas, y en las de todo el sistema familiar.

IDEAS PARA COMPARTIR

• Una duda compartida por las futuras madrastras y padrastros es: ¿cuándo puede uno comenzar a quedarse a dormir en casa de su pareja, si sus hijos se encuentran presentes? Ante todo, se recomienda guardar la calma y no apresurar ese momento. Si aparece en la mesa del desayuno familiar cuando la relación aún no está madura, los niños lo sentirán probablemente como un choque, y usted puede sentirse incómodo/a. Evalúe la situación junto con su pareja, para decidir el momento oportuno.

• Use el período de noviazgo para instituir —sin apresuramiento, y sin forzar la situación— las primeras reglas que usted considera necesarias para esta fase de la convivencia: por ejemplo, que cuando usted se queda a dormir en la casa, la puerta del cuarto de los adultos permanece cerrada, y que no se debe llamar a ella, salvo en caso de problemas graves.

- Deje que el progenitor de los niños demuestre el afecto que siente por usted delante de ellos, con palabras y caricias. Esto ayudará a que perciban cuál es su lugar en la casa y en la vida de su padre o madre. Sin embargo, no se entregue a exhibiciones eróticas que resultarían contraproducentes.

- No se sienta ansioso/a por seducir a sus hijastros en esta primera etapa, pues podría asustarlos, hacerlos sentirse apremiados, y causarles rechazo. Demuéstreles que usted está disponible para entablar una relación amistosa, y deje que encuentren sus propios tiempos para acercársele.

- Preocúpese por entablar una buena relación con su futura familia política. No sólo serán un apoyo valioso para usted, sino que sus hijastros se sentirán tranquilizados: ser aceptado/a en el círculo familiar significa que su relación de pareja es sólida. Por lo demás, si sus abuelos y tíos aceptan y quieren a "la nueva" o "el nuevo", quiere decir que éstos no son tan malos.

- En esta fase, lo más importante es que usted desarrolle y consolide su relación de pareja. Construya nuevos espacios de intimidad, descubra al otro, invente diversas formas de comunicación. Trate de encontrar lugares y tiempos en los cuales estar a solas con su pareja. Viajar juntos ayuda a realizar decubrimientos y construirse una historia común, pero si esto no es posible, use su imaginación para encontrar salidas placenteras en el lugar donde vive.

4

La familia prêt à porter

Cuando un divorciado o divorciada han podido explorar otras relaciones, y una de ellas se vuelve estable, aparece la posibilidad de un nuevo matrimonio, y de la reorganización del grupo familiar sobre diferentes bases. Este capítulo investiga las diferentes etapas del proceso de construcción de esta nueva familia, desde la "familia instantánea" que la madrastra o el padrastro reciben, al establecimiento de los nuevos vínculos entre sus miembros, el afianzamiento del nuevo grupo y, finalmente, la disolución definitiva del vínculo que se mantenía con la pareja anterior debido a las necesidades de coparentalidad.

Una familia instantánea

Con la entrada en escena de los nuevos compañeros de los progenitores, se inicia la cuarta etapa, la de **"cortejo o arreglo de pareja"**, o en otras palabras, la del noviazgo.

Esta recomposición de la vida de familia exige naturalmente la disolución definitiva de la pareja marital anterior, o divorcio emocional. Ya no se trata de fantasear con volver eventualmente a la primera pareja, después de un "descanso sabático" del matrimonio, sino de construir una nueva, y si posible, para muchos, completamente diferente.

"Mi primer marido y yo nos unimos en el modelo de la 'pareja abierta' que era tan popular a principios de los años 70", relata Magdalena. "Ambos éramos muy jóvenes, arriesgados y ávidos de comernos el mundo; trabajábamos como guías de turismo de aventuras. Muchas veces, pasábamos semanas o meses separados, conduciendo grupos en distintos lugares: Nepal, el Aconcagua, el Mont Blanc. Era casi natural que tuviéramos también alguna que otra aventura erótica por el camino. Cuando, al poco tiempo, me di cuenta de que ese modelo de relación me resultaba muy doloroso y destructivo y quise cambiarlo, él se negó. Pasamos un largo período de tira y afloja emocional, lleno de separaciones tormentosas y reencuentros apasionados. Por último, decidimos separarnos y, unos años después, nos divorciamos legalmente. Yo inicié mi propia empresa de turismo, aprovechando la experiencia y los contactos que había acumulado, y él se instaló en Estados Unidos. Cuando conocí a Andrés, me gustó, en primer lugar, porque es exactamente lo opuesto de mi ex: tranquilo, confiable, y da prioridad a la vida de familia. Incluso su apego a sus hijos me había impresionado muy favorablemente, al menos al principio. Por su parte, Andrés me dijo muchas veces que soy el polo opuesto de su primera mujer."

Si bien hay personas que recurrentemente inician relaciones con el mismo tipo de personas —como si representaran eternamente la misma obra de teatro, en la que sólo cambiaran los nombres de los actores—, muchos de los que se aventuran a un segundo matrimonio, como Magdalena y Andrés, necesitan elegir a alguien completamente diferente, para no caer en los mismos errores de la primera vez.

En esta fase, en los casos en que no se hayan iniciado aún los juicios de divorcio, o de que éstos estén inconclusos, los separados tratan de acelerar los procedimientos. **También es el momento en que se renuncia a la ilusión o al mito de "la familia intacta feliz"**. Tanto para el progenitor involucrado como para sus hijos (aunque éstos no abandonan fácilmente la fantasía de que sus padres acabarán por volver a unirse), la creación de esta nueva pareja significa que no hay retorno a la relación anterior ni a la re-constitución de la familia original. Al mismo tiempo, el divorcio ejerce influencia sobre esta nueva relación: a diferencia del primer matrimonio, a éste se lo construye a sabiendas de que probablemente no durará toda la vida, a menos que ambos integrantes trabajen para ello conscientemente.

Habitualmente, la etapa de noviazgo o cortejo —cuya duración varía según las parejas— no sirve sólo para cumplir con una convención social, sino que posee varias funciones: ayuda a conocerse, intimar, decidir si se acepta al otro con sus virtudes y sus defectos, a descubrir compatibilidades e incompatibilidades, negociar intereses y conflictos y, en fin, a establecer el "contrato de pareja", ya sea éste implícito o explícito. En los casos en que hay un divorcio previo, o en que los dos están divorciados, esta negociación multiplica su complejidad, requiere mucho más esfuerzo y, por lo tanto, más tiempo.

Ya no se trata de compatibilizar solamente los intereses de un hombre y una mujer, sus respectivos padres y familias. En los casos de nuevo matrimonio, entran en juego muchas más personas, con las que también es necesario desarrollar negociaciones y llegar a acuerdos: los hijos de uno de ellos o de ambos, la ex esposa, el ex marido, hermanastros de matrimonios anteriores, en fin, la familia ampliada hasta dimensiones vertiginosas.

Psicoterapeutas y abogados coinciden en que, por las razones mencionadas, **es imprudente lanzarse a un nuevo matrimonio antes de haber elaborado el duelo del anterior y, sobre todo, antes de haber negociado con la nueva pareja los problemas referentes a la existencia de ex cónyuges, hijos e hijastros de anteriores uniones.** Fundamentalmente, lo que los nuevos cónyuges —las madrastras y padrastros en potencia— deberían tener en cuenta es que **las nuevas formaciones familiares son estructuralmente diferentes de las familias de primeros matrimonios... y que no existen manuales para su uso.**

Los psicoterapeutas, tanto individuales como de familia, advierten que **la atención de los miembros de la pareja debe concentrarse ante todo en la relación que se construye. Las decisiones que les conciernen (como si es conveniente vivir juntos, casarse legalmente o no, tener hijos o no, y cuándo, entre otras), les pertenecen en forma exclusiva.** Si bien es importante tener en cuenta el bienestar de los hijos de matrimonios anteriores en los proyectos comunes —así como evitar en lo posible los enfrentamientos con ellos—, resulta totalmente irrelevante consultarlos o pedirles opiniones o autorización sobre las decisiones maritales.

Algunos factores que deben considerar hombres y mujeres que tienen la intención de establecer una pareja con divorciados con hijos son los siguientes:

— La persona divorciada arrastra una carga: una historia y un contexto familiar inevitables. Esto implica, entre otras cosas, la presencia —virtual o real— del ex marido o la ex mujer, con quien se hará necesario establecer distintos tipos de contactos y negociaciones.

— La necesidad de ejercer la coparentalidad, como se explicó en el capítulo anterior, provoca que esta presencia se haga sentir con relativa frecuencia. Esto dependerá de diversos factores, como el número de hijos, la edad de éstos, la forma en que se concretó la separación, el tiempo transcurrido entre ésta y la nueva unión, y los acuerdos legales y económicos existentes entre los ex cónyuges, sólo para mencionar los más evidentes.

— Cada persona, y cada grupo familiar, está provisto de un conjunto de reglas éticas, morales, normas de comportamiento, modales, hábitos y objetivos vitales que le son propios. Al ensamblar dos familias —aún en el caso en que una de ellas esté constituida por una sola persona—, estos "conjuntos de leyes propias" pueden chocar entre sí. Generalmente, se requieren años de cuidadosas negociaciones antes de llegar a acuerdos satisfactorios para todas las personas implicadas.

En algunos casos, la entrada de un padrastro en la familia es cálidamente bienvenida por ambas partes. Este es el caso de Tomás, bodeguero y *bon vivant* español de 55 años. En seis años, pasó de una empedernida soltería en un *penthouse* del centro de Sevilla, a una familia instantánea en Buenos Aires, conformada por una mujer, cuatro hijas y dos nietas, amén de la presencia en periferia de dos ex maridos y sus respectivas segundas esposas.

"Conocí a Estefanía en un vuelo de Berlín a Madrid, adonde ella iba a visitar a su hija mayor. Me resultó muy atractiva e interesante, y la convencí de que pasara un fin de semana conmigo en Sevilla antes de regresar a Buenos Aires. Cuando se fue, mi departamento me resultó desoladoramente vacío. Comprendí que esa mujer era lo más importante que me había ocurrido en los últimos años. Mantuvimos un noviazgo de un año y medio basado en cartas y visitas, durante el cual conocí a las dos hijas de su primer matrimonio —actualmente casadas y madres a su vez— y a las dos del segundo matrimonio, en ese momento de ocho años. Finalmente, decidimos casarnos y yo trasladé mis negocios a Buenos Aires. Me encantó la idea de encontrar una familia ya hecha: a mi edad, me daba pereza ponerme a trabajar en eso desde cero", explica, mientras paladea uno de los licores que él mismo destila.

Estefanía, quien a los 48 años se ha ganado un merecido prestigio como diseñadora de parques y jardines, cuenta que Tomás fue recibido por sus cuatro hijas como el "reparador" de los daños sufridos por el grupo familiar a lo largo de su historia. Se había casado por primera vez casi adolescente, tuvo dos hijas, y se divorció cuando éstas eran muy pequeñas. A los pocos años conoció a Emir, un comerciante árabe recientemente instalado en la Argentina, y quedó deslumbrada por su personalidad seductora y exótica. El segundo matrimonio presentó muy pronto serios conflictos, atribuibles tanto a diferencias culturales como a choque de personalidades. "Las relaciones se deterioraron aún más cuando mis hijas entraron en la adolescencia. Emir comenzó a asumir actitudes tiránicas, prohibiéndoles salir, vigilando sus llamadas telefónicas, y pretendiendo elegir a sus amigos. (Mucho más tarde, ya en psicoterapia, pude entender que mi marido sufría de violentos celos sexuales ante estas hermosas adolescentes). Conmigo también se volvió despótico, saboteando mi vida profesional, y pretendiendo que me quedara permanentemente en casa; vivíamos en una atmósfera de violencia apenas contenida. No sé por qué no me separé entonces: creo que estaba muy sometida a mi marido y, además, temía las consecuencias de un segundo divorcio. Quedé embarazada otra vez y tuve mellizas, Sherifa y Leila. Este acontecimiento, en lugar de mejorar la vida familiar, la empeoró. Emir se volvió cada vez más crítico e intolerante con mis hijas mayores, marcando enormes diferencias entre ellas y las mellizas. Comprendí que debía separarme, pero aún no me animaba a hacerlo. Por fin, me decidí a hablar francamente con mi primer marido —quien había vuelto a casarse— y pedirle que se hiciera cargo de Mariela y Sofía, nuestras hijas, hasta que yo pudiera resolver este segundo divorcio. Se mostró muy comprensivo, y se llevó a las chicas a vivir con él. No fue fácil para ellas: tuvieron problemas de incompatibilidad con su madrastra, y les costó adaptarse a esta nueva familia; pero sobre todo, se sintieron muy heridas por lo que consideraron mi "abandono". En cuanto pude me divorcié, conseguí un departamento, y decidí dedicarme solamente a mis cuatro hijas y a mi profesión. No habría podido hacer otra cosa, de todas formas, porque mi segundo marido nunca me pasó alimentos para las nenas."

Estefanía pudo reconstruir su grupo familiar, aunque sus hijas mayores tuvieron que elaborar lo que vivían resentidamente como el abandono materno. Poco a poco, desarrolló una pequeña empresa de arquitectura paisajista. La mayor de sus hijas, Mariela, se casó a los veinte años y emigró a Madrid con su marido. Sofía se casó al año siguiente, pero permaneció en Buenos Aires. Ambas tuvieron hijas a su vez. "Me instalé en mi papel de madre, abuela y mujer de carrera. No imaginaba siquiera un tercer matrimonio, hasta que conocí a Tomás", recuerda Estefanía. "Fue una relación a distancia, puntuada por viajes y cartas. Tomás decidió conocer a mis hijas, yernos y nietas. Viajó varias veces a Madrid, y estableció un cálido vínculo de afecto con mi hija mayor y su familia. En cuanto a Sofía y las mellizas, escribía a cada una dos veces por semana. En sus cartas les hablaba de sí mismo, les hacía preguntas sobre ellas, les contaba sus viajes, las familiarizaba con las costumbres españolas, les enviaba recortes de diarios y revistas sobre temas que les interesaban. Las niñas adoraban sus cartas; empezaron a esperarlas con impaciencia y a contestarlas. Para cuando Tomás se instaló en la Argentina y nos casamos, ya intercambiaban sus pensamientos y sentimientos como íntimos amigos. Mis hijas se alegraron mucho de tenerlo como figura paternal, aunque nunca intentó sustituir a los respectivos padres biológicos. El compró esta casa, plantó el jardín y —lentamente y con mucho cariño— nos organizó la existencia a todos. En realidad, es él quien se ocupa de la gestión de la casa: ahora que mi trabajo marcha bien, debo pasar mucho tiempo fuera, en el Gran Buenos Aires, o en las ciudades de veraneo de la costa. Es Tomás quien decide los menús de la semana, ayuda a las niñas con las tareas escolares, las acompaña a las fiestas... La vida familiar se volvió agradable hasta tal punto que Sofía decidió olvidar los pasados rencores, y mudarse a la casa de al lado, con su marido y su hijita. De modo que ahora, después de todo este camino tan quebrado, me casé 'de verdad', y tengo la gran familia que siempre quise tener", concluye satisfecha.

Tomás abordó la relación con sus hijastras de una manera paciente, gradual y no intrusiva. Comunicarse con ellas a través de cartas fue una inspiración verdaderamente feliz: la escritura permite la transmisión de ideas y sentimientos más genuina y profundamente que la comunicación verbal. Durante el año y medio en que él y Estefanía desarrollaban su relación de pareja, pudo así conocer a su futura familia y darse a conocer gradualmente por ellas, disipar temores e inspirar confianza, sin los inconvenientes de un contacto cotidiano. En este caso, el cortejo de la pareja incluyó el cortejo a la familia de la pareja. Tal vez el factor de éxito más importante haya sido que Tomás estaba cansado de su soledad, y auténticamente encantado de encontrar una familia "lista para usar". Para él, las hijas de Estefanía no representaban un problema, sino una ventaja.

Sin embargo, no todos los padrastros y madrastras están tan bien dispuestos. En numerosas ocasiones, el ejercicio de la coparentalidad encuentra un serio obstáculo en la persona de la nueva pareja del progenitor, a quien el contacto de éste con su ex cónyuge llena de celos y desconfianzas. En otros, la madrastra o el padrastro se resienten por el afecto, la atención, el tiempo o los recursos económicos que su pareja vuelca en sus hijos, como una disminución de los que le dedica a él o a ella. En muchos casos surgen, durante esta fase y las siguientes, **exigencias de renunciamiento**, en cuanto se le pide al progenitor que deje de frecuentar a sus hijos, o al menos que los vea con menos frecuencia. En general estas exigencias, se cumplan o no, generan conflictos y patologías no sólo entre los miembros de la pareja, sino también en la relación entre padres, padrastros e hijos.

Un abogado de 50 años a quien su nueva esposa exigía que dejara de recibir semanalmente en su casa a sus hijos de 19 y 23 años (ella opinaba que una cena por semana era un contacto demasiado frecuente) se quejaba: "Si me pide que deje de ver a mis hijos, es como si me obligara a que olvide la mitad de mi vida: sin mis hijos, soy sólo medio hombre."

Lo contrario también se cumple: suele ocurrir que un progenitor, escudado en la defensa de "los mejores intereses de sus hijos", le plantee a su nueva pareja graves exigencias de renunciamiento con respecto a proyectos vitales. Algunos ejemplos clásicos son: "Posterguemos nuestro casamiento por unos años, hasta que los chicos sean más grandes" o "Sé que quieres ser madre (o padre), pero yo ya tengo hijos; no quiero tener otros." En caso de que las negociaciones en la pareja no lleguen a resolver estas contradicciones entre proyectos opuestos, tales exigencias llevan eventualmente a la ruptura de la relación.

VÍNCULOS SIN MANUAL DE INSTRUCCIONES

La quinta etapa, llamada de nuevo matrimonio, llega cuando, salvados los obstáculos de las fases anteriores y logrados los acuerdos necesarios, la nueva pareja decide casarse o convivir bajo el mismo techo. Los motivos para el nuevo matrimonio varían, aunque con frecuencia se asemejan a los del primero. Las parejas consultadas dan como razones más importantes el amor, el compañerismo y el deseo de compartir la vida cotidiana. Otro motivo es el de proporcionar una figura maternal o paternal permanente para los hijos: ser un progenitor solitario puede resultar agotador, y es tentador compartir las responsabilidades paternales con una segunda pareja. Otros se casan de nuevo para ser ayudados económicamente o mantenidos por su nueva pareja. Otros, en fin, se sienten vacíos si viven solos, y buscan en el nuevo matrimonio un rescate para un estado que experimentan como un desequilibrio.

El lapso entre dos matrimonios puede variar, según los individuos, desde menos de un año —particularmente para aquellos que sellan así una relación que había comenzado antes del divorcio—hasta algunas décadas. Según C. J. Sager, un terapeuta estadounidense que realizó varias investigaciones sobre el tema, existe un período óptimo entre divorcio y nuevo casamiento: de tres a cinco años. Las posibilidades de éxito en el nuevo matrimonio aumentan si los miembros de la pareja han podido explorar la dinámica de sus relaciones con otros en una psicoterapia posterior al divorcio. Otro factor de éxito consiste en que la nueva pareja plantee sus expectativas con respecto al matrimonio con realismo, teniendo en cuenta la estructura presente y futura de su grupo familiar.

En esta etapa, cobra una gran importancia la participación que se da a la familia extensa (padres, hermanos, etc.), y el apoyo que se recibe de ella, así como de amigos y allegados, que resulta necesario para "legalizar" esta unión ante el mundo y ante los mismos contrayentes, tal como ocurrió con el primer matrimonio.

"Mi primer matrimonio se celebró con una cena y baile en la quinta de unos amigos; yo tenía un maravilloso vestido blanco y recibimos suficientes regalos como para equipar completamente nuestro hogar", comenta Magdalena. "En cambio, a pesar de que nuestras respectivas familias lo aprobaban, el segundo pasó casi inadvertido: una breve ceremonia en el Registro Civil, y un almuerzo en un restaurante de moda con los hijos de Andrés, nuestros padres y hermanos. Eso fue todo. No hubo vestido blanco ni fiesta. Hasta los regalos fueron discretos, como si nuestras familias ya hubieran mostrado bastante generosidad en nuestros primeros casamientos, y quisieran ver cómo se desenvolvía éste antes de invertir más. La verdad es que me sentí un poco desilusionada, como si este matrimonio no fuera tan válido como el anterior, como si fuera de segunda mano."

Es frecuente que los nuevos matrimonios —se pase o no por el Registro Civil— no se celebren, o que se haga una rápida ceremonia seguida de una comida íntima, como si fuera impropio festejarlos con demasiado entusiasmo. Por el contrario, es fundamental que el nuevo matrimonio sea manifiesto, participado y celebrado, dado que esto implica la asunción pública de un compromiso privado. Los seres humanos necesitan rituales para legitimar las transiciones entre distintas etapas de la vida; los nuevos matrimonios no son excepciones a esta regla.

Otro de los factores que contribuye a reforzar las nuevas

formaciones familiares —según los resultados del estudio de 80 familias de nuevo matrimonio, efectuado por los psicoterapeutas Knaub, Hanna y Stinnet en 1984— es un presupuesto familiar desahogado. Existe una correlación directa entre los altos ingresos y la fuerza del grupo para enfrentar conflictos: cuanto más alta sea la capacidad económica de la familia, dispondrán de más herramientas para solucionar los problemas que se presenten. Un tercer factor significativo es que las familias busquen ayuda terapéutica luego del nuevo matrimonio, para ayudarse a reorganizar el grupo familiar.

En esta etapa se establecen nuevos juegos de normas y reglas en la familia de nuevo matrimonio, así como nuevas alianzas y lealtades entre sus miembros. Este es también un período de cuestionamientos y de búsqueda de respuestas. Los progenitores experimentan dudas sobre cuánta responsabilidad se puede cargar sobre la flamante madrastra o padrastro, qué colaboración se les puede pedir en la labor coparental y cómo establecer un equilibrio entre afectos que frecuentemente tiran de ellos en direcciones opuestas. Las madrastras y padrastros se preguntan qué autoridad tienen realmente sobre los hijos de la pareja, y cómo ejercerla; cuáles son sus responsabilidades para con los hijastros, y cuáles sus derechos y prerrogativas; y cómo defender la intimidad de la pareja sin excluir la vida de familia. Los hijos, por su parte, experimentan dificultades y dudas que se relacionan con ambigüedades en la definición de límites. Los problemas que más suelen afectarlos están relacionados con cinco factores:

— *la pertenencia:* ¿Cuáles son los miembros de mi familia? ¿A cuál de estos grupos familiares pertenezco realmente?

— *el espacio físico*: ¿A dónde pertenezco? ¿Cuál es mi casa?

— *la autoridad:* ¿Quién es responsable de mí en cuanto a disciplina, dinero, toma de decisiones, etc.? ¿A quiénes debo obedecer? Si acato la autoridad de mi madrastra, ¿no estoy desobedeciendo a mi madre?

— *el tiempo*: ¿Con quién o quiénes debo pasar cuánto tiempo? ¿Hasta qué punto puedo decidir con quién quiero estar, y cuándo, y hasta dónde debo atenerme a las decisiones de mis padres, el juez, otros miembros de la familia?

Las respuestas a estos interrogantes son variables y delicadas. El impacto de las discrepancias en la forma, hábitos y en el ciclo de vida de las diferentes casas de los dos progenitores y sus nuevos cónyuges puede resultar muy significativo. Por lo demás, **la falta de claridad en hacer explícitos los derechos y deberes entre los padrastros y sus hijastros pone a la nueva pareja del progenitor en la posición de haber asumido las responsabilidades parentales sobre esos niños sin los derechos y privilegios que normalmente los acompañan**. Dado que no existen recetas fijas a aplicar, la definición de todas estas cuestiones deberá ser encarada como negociaciones y acuerdos entre los diferentes miembros implicados del grupo familiar.

Es frecuente que en las primeras etapas de los nuevos matrimonios, la familia experimente un alto nivel de tensión. Los conflictos cotidianos son numerosos —a causa de hábitos diferentes, discusión sobre las reglas de la casa, alianzas y bloques entre algunos miembros del grupo con exclusión de otros— y las parejas a menudo no llegan a entender *"por qué todo anda tan mal si tenemos tan buenas intenciones y hacemos tantos esfuerzos"*. Los Visher, psicoterapeutas estadounidenses especializados en terapias de familias de nuevo matrimonio, afirman que **obtener información sobre las características de las familias de nuevo matrimonio (o "familias ensambladas") y enterarse de qué es lo que cabe esperar puede servir para aliviar y dar mayor seguridad a padres y padrastros**. Esta pareja de terapeutas (quienes expresan no sólo su experiencia profesional, sino también sus vivencias personales: ambos son divorciados con numerosos hijos, y ellos mismos han formado una familia de nuevo matrimonio) plantea que comprender los siguientes puntos resulta especialmente útil para las nuevas formaciones familiares:

— **Es aconsejable identificar y aceptar las diferencias de estructura entre familias de primeros matrimonios y familias de nuevo matrimonio.**

— **Reconocer que la integración de estos nuevos grupos familiares lleva su tiempo, y que éste no puede acelerarse forzadamente, ayuda a disculpabilizar a progenitores, ma-**

drastras y padrastros. O. Stern, terapeuta estadounidense e investigador sobre el tema de la integración de las familias de nuevo matrimonio con respecto a la disciplina de los hijos, descubrió que a un hombre que se une a una madre con hijos pequeños, le lleva de un año y medio a dos años integrarse al grupo familiar. Otra investigadora conocida, P. Papernow, estima que con niños de más edad, se necesitan de cinco a seis años para lograr un nivel satisfactorio de integración.

— **Resulta fundamental desarrollar y nutrir el vínculo de la pareja.** Una buena relación entre los esposos da estabilidad a todo el grupo familiar; además, sirve como modelo a los hijos para sus futuras relaciones de pareja. Con frecuencia, los progenitores de familias de nuevo matrimonio se sienten culpables ante sus hijos por el divorcio y la construcción de una nueva pareja; esta culpabilidad se acentúa si los hijos no están satisfechos con el nuevo matrimonio. El reconocimiento de que la existencia del nuevo matrimonio, lejos de perjudicar a los niños los beneficia, contribuye a que se forme un vínculo sólido de pareja a pesar de los sentimientos de culpabilidad de los progenitores.

— **El desarrollo del vínculo particular entre padrastros e hijastros necesita de una historia común, de actividades y recuerdos agradables compartidos. Para construir todo esto, es indispensable cierto tiempo.** A veces es difícil concederse este tiempo, sobre todo cuando los hijastros están en la casa sólo durante períodos breves. Otras veces, padrastros e hijastros nunca llegan a desarrollar una buena relación. Cuando esto ocurre, es importante no sentirse culpable: nadie está obligado a querer a nadie. En cambio, es indispensable concentrar los esfuerzos en llevarse bien, poniendo el acento en la tolerancia y el respeto mutuos. Cuando los hijastros crecen, se independizan y forman sus propias parejas, es frecuente que desarrollen mayor comprensión y aprecio hacia los esfuerzos realizados por madrastras y padrastros.

— **Es prudente que el padrastro penetre lentamente en el grupo formado por su pareja y los hijos del anterior matrimonio de ésta, y que sea consciente de que el progenitor es el responsable principal del rol o papel parental con los hijos.**

De la familia nuclear a la polinuclear

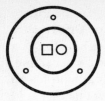

Familia nuclear
intacta

REFERENCIAS:
□ : Hombre
O: Mujer
o: Niños
⇄: Circulación de los hijos entre los hogares

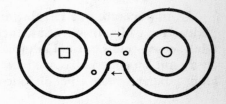

Cuando una pareja se separa,
se conforma la familia
binuclear

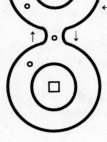

Si uno de los cónyuges
vuelve a casarse con un
divorciado/a con hijos, el
sistema familiar se amplia
y se vuelve más complejo
(familia polinuclear)

Si ambos conyuges se unen a
divorciados con hijos, el
sistema se compone de 4
subsistemas familiares

Algunas veces, madrastras y padrastros llegan a ocupar el papel de madres y padres, fundamentalmente cuando los progenitores biológicos a quienes se "remplaza" están muertos o ausentes, o cuando los niños son aún pequeños. Otros nunca asumen esos papeles, particularmente cuando los hijastros son adolescentes en la época del nuevo casamiento. En cambio, pueden ser "amigos adultos" de los hijastros o, como les ha llamado una hijastra ya adulta, "ayudantes parentales".

— **Es importante que la relación que se establezca entre padrastros e hijastros sea satisfactoria tanto para el niño o adolescente como para el adulto.** Esto significa, entre otras cosas, que no debería basarse en sentimientos de sacrificio o renunciamiento, sino en el disfrute de la compañía mutua.

ESTABILIDAD Y CRECIMIENTO

Cuando las normas y reglas familiares han sido negociadas y acordadas por todos los miembros del grupo y se ha llegado a un funcionamiento familiar satisfactorio, cuando se ha conseguido una estructura clara con autoridad y jerarquías coherentes, cuando tanto los individuos como el grupo continúan su desarrollo y crecimiento, se considera que se está en la **etapa de familia reconstituida estabilizada**.

Tanto la pareja como el grupo familiar quedan definitivamente confirmados como tales cuando los cónyuges tienen hijos propios. Los nacimientos de estos niños ofrecen posibilidades divergentes:

—Es probable que mejoren la integración familiar, dado que ahora existen niños que conforman un puente de consanguinidad entre los dos núcleos de la familia. Los hijos pueden sentir que los padrastros no son ya extraños, sino los padres de sus hermanos.

— Pueden ser también fuente de nuevos conflictos, en los cuales se introduzcan los celos, el miedo de los hijos anteriores al abandono, y la consiguiente sobreprotección para "compensarlos" por darles un hermanito que les roba parte de la atención materna o paterna.

Bernardo, un dentista de 42 años, se había casado a los 27 con una mujer recientemente divorciada, madre de un hijo de cinco años y una hija de cuatro. "Los niños me encantaban. Creo que me enamoré de ellos tanto como de la madre. El padre se ocupaba muy poco de ellos entonces, y yo entré en el papel paternal como en un traje a la medida. Durante varios años, todo anduvo bien. Pero cuando la niña tenía ya catorce años y el muchacho quince, mi mujer y yo decidimos tener un hijo nuestro. Con el nacimiento de Alejo, experimenté una sensación de paternidad tan intensa como nunca había sentido con los hijos de mi esposa. Me dediqué muchísimo al bebé, y tal vez descuidé a los mayores. Esto coincidió con los conflictos de adolescencia, pero también con una etapa en que el padre biológico comenzó a ocuparse más de ellos: los llevaba consigo en largas vacaciones y acabó por proponerles que vivieran con él. Mis hijastros recibieron a su hermanito con cariño, pero se sintieron heridos por lo que percibían en mí como una paternidad diferente: ahora pienso que tal vez envidiaran al bebé, porque su propio padre nunca se había ocupado así de ellos cuando eran pequeños. Tres años después nació Clara, quien ya no fue tan bien acogida por sus hermanos mayores. En un enfrentamiento que tuvimos por una cuestión de disciplina, ellos me cuestionaron mi preferencia por mis propios hijos. 'Uno, vaya y pase, pero dos bebés ya definen dos familias diferentes', me espetó mi hijastro. Poco después, aceptaron la propuesta de su padre y se fueron a vivir con él. El vínculo entre mis hijastros y yo nunca se recuperó del todo; actualmente, a pesar de que son adultos y han formado sus propias parejas, la relación es, diría yo, cortés y lejanamente afectuosa."

Es frecuente que los progenitores experimenten el temor de que el nacimiento de los nuevos hijos haga que los hijos anteriores se sientan abandonados, y que en consecuencia tiendan a sobreprotegerlos. Vencer estos miedos y aprensiones, y permitir que los hijos mayores crezcan, construyan su propia vida y se distancien de sus padres, adquiriendo autonomía y madurez, es la penúltima tarea trascendente del ciclo de vida de la familia divorciada.

Cuando los hijos de la pareja divorciada han crecido, se han independizado, y ya no necesitan de la función coparental de sus progenitores, la pareja parental puede disolverse: ya no tiene razón de ser. **Se está ahora en la etapa del destete de la pareja coparental, o divorcio definitivo.** En algunas familias, la relación con el "ex", si ha sido satisfactoria, puede continuar: siempre habrá ocasiones de encontrarse y de conversar con respecto al casamiento de los hijos, la crianza de los nietos, la enfermedad de un miembro de la familia u otros motivos: lo importante es que el vínculo ya no es obligatorio. Sin embargo, para algunas personas, este momento puede presentar dificultades, dado que es la transición de una etapa de la vida a otra. A veces aparecen en esta fase diversas patologías, tendientes a evitar esta transición, aún en familias binucleares que hasta ese momento habían manejado satisfactoriamente sus relaciones. Para la mayoría de las personas que accedieron a contar sus historias de vida para este libro, en cambio, el destete del ex cónyuge fue vivido con alivio, como una nueva oportunidad de iniciar experiencias vitales importantes.

Sofía, periodista, 39 años, se había casado hacía ocho con Carlos, un ingeniero de 45. Estableció un vínculo afectuoso con los hijos de él, y pasados algunos años tuvieron dos hijos comunes. Ambos deseaban vivir en el exterior. No les faltaban oportunidades: los dos habían recibido interesantes propuestas de trabajo en España. Sin embargo, Carlos siempre encontraba razones para no aceptarlas. "Un día, en el mes en que se cumplían diez años de su divorcio, volvió de su sesión de terapia con una expresión de inmenso alivio. 'Hoy me di cuenta de que Juana y Brian (los hijos de su primer matrimonio) son jóvenes adultos. Ya no necesitan que siga viendo a su madre. ¡Puedo considerarme divorciado de veras!', dijo. Poco después, durante un congreso, volvieron a proponerle un trabajo en Barcelona, y esta vez aceptó. Hace dos años que vivimos allí; nuestra relación ha cambiado y para mejor: nos sentimos mucho más libres", relata.

A través de las etapas descritas, el grupo familiar se transforma tanto como sus miembros. En el camino se encuentran conflictos, se negocian intereses, se efectúan transacciones, se intercambian afectos. Todo este proceso es indudablemente complejo, pero... hasta la ropa *prêt à porter* necesita ajustes y adaptaciones, ¿no es cierto?

IDEAS PARA COMPARTIR

• No se precipite a un nuevo matrimonio, ni siquiera para "sellar" una relación iniciada antes del divorcio. Los duelos de la familia anterior que no han sido elaborados tienden a aparecer como conflictos en la nueva formación familiar.

• Converse con su nueva pareja sobre las siguientes cuestiones: ¿Cómo se relacionarán los miembros del nuevo grupo familiar con los hijos de matrimonios previos, ex cónyuges, ex parientes políticos? ¿Qué acuerdos son necesarios con respecto a la tenencia de los hijos, su manutención, el régimen de visitas? ¿Qué pasará si la nueva pareja decide tener hijos comunes, con respecto a los hijos existentes? ¿Cuáles son los puntos fuertes de la nueva familia? ¿Y los débiles?

• Festeje su nuevo matrimonio —legal o no— con tanto entusiasmo como si fuera una primera unión, y más aún. Celebre una fiesta, intercambie promesas con su pareja, distribuya participaciones y listas de boda. No se limite a invitar a la ceremonia a los hijos: hágales participar activamente en los preparativos. Esto facilitará su integración en el proyecto del nuevo grupo familiar y creará agradables memorias comunes.

• Resulta difícil no sentirse invadido cuando una nueva persona, o una familia, se muda a su casa y reorganiza el territorio al que usted estaba acostumbrado; es igualmente difícil ser la "nueva persona" que se une a un grupo familiar preexistente, en una vivienda que está cargada de historia y de recuerdos que no comparte. Por estas razones es aconsejable, siempre que sea posible, que las familias de nuevo matrimonio se muden a una nueva vivienda, en la que puedan construir su propia historia. Si esto no fuera posible, transforme la vivienda anterior: cambie la disposición de los cuartos, decórela de otra forma, adécuela a la nueva familia; trate de que todos los miembros participen de este trabajo, convirtiéndolo en un proyecto común.

• Si las dimensiones de su casa lo permiten, cree en ella una zona de privacidad para los adultos. Esto será una gran ayuda para preservar su intimidad. Si no es posible, trate de distribuir el uso del espacio de modo que la pareja marital no sea constantemente invadida por los hijos.

• Si usted es la madrastra o el padrastro, recuerde que en las familias de nuevo matrimonio, padres e hijos han experimentado una pérdida importante, cuyo duelo lleva tiempo elaborar. No se apresure a adoptar un papel parental en el grupo familiar, ni trate de forzar los tiempos de los diferentes miembros (incluyendo a su pareja).

• Trate de conocer y respetar las características esenciales de cada miembro de la familia, pues éstas no pueden ser completamente modificadas. De esta forma, les resultará más fácil realizar los ajustes recíprocos necesarios para construir una convivencia satisfactoria, a pesar de las diferencias personales.

• Una buena relación de pareja no garantiza necesariamente un vínculo satisfactorio con sus hijastros. Todas las relaciones necesitan ser cultivadas. Trate de conocer mejor a los hijos de su pareja, dándose un tiempo para pasarlo a solas con ellos: descubra intereses comunes, use su creatividad para inventar actividades que les diviertan, encuentre espacios de comunicación.

• En general, el miembro de la familia que presenta problemas, conflictos o síntomas agudos, no hace más que expresar a su manera los aspectos difíciles del sistema familiar en su totalidad. Si éste es el caso, tómese tiempo para analizar —solo/a o con ayuda de un psicoterapeuta— el funcionamiento del grupo familiar, a fin de detectar sus debilidades y sus áreas conflictivas.

• Comprenda que los hijos de padres separados necesitan saber que tienen el derecho de amar a su madre y a su padre, sin conflictos de lealtad, a pesar de que los padres no se quieran más entre sí.

• La "biblioterapia" tiene una utilidad indiscutible: consiga y lea libros que traten sobre los problemas de las familias de nuevo matrimonio, el divorcio, la pareja, la infancia y la adolescencia. Si le es posible, comparta la lectura con su pareja. En la Bibliografía, al final de este libro, se proporciona una lista de obras que tratan estos temas. Algunos son accesibles en las librerías; otros pueden consultarse en bibliotecas.

5

Modelos para armar

Las relaciones entre las nuevas parejas de los progenitores y los hijos de éstos no se presentan de la misma manera si se trata de padrastros o de madrastras, si éstos llegan a la nueva familia desde la soltería sin hijos previos, o si tienen detrás de sí un divorcio e hijos propios, si los hijastros son niños en edad preescolar o adolescentes, si son varones o niñas, si se trata de un único hijastro o de varios... En este capítulo, se abordan estas posibles combinaciones, y se analiza cómo afrontarlas para construir una satisfactoria vida de hogar.

Los que viven la experiencia de la familia de nuevo matrimonio aseguran que las relaciones con los hijastros son más fáciles para los hombres que para las mujeres, y que se desarrollan más fluidamente con niños pequeños que con adolescentes o jóvenes adultos. ¿A qué se deben estas diferencias?

LA CAUSA DE LAS MUJERES

En numerosos casos, las mujeres declaran tener grandes dificultades para establecer vínculos afectuosos, o al menos pacíficos, con los hijos de su pareja. Los motivos para estos conflictos son variados:

— Es extremadamente difícil remplazar un papel tan clave como el de la madre. Las lealtades de los hijos hacia sus progenitoras —aún en los casos en que éstas se desentiendan de ellos, estén ausentes, hayan muerto, etc.— son perdurables e intensas. No les resulta fácil aceptar que una nueva mujer ocupe el lugar que pertenecía a la madre en la casa, en los afectos y en la cama del padre.

— En general, las mujeres están condicionadas culturalmente para ser madres, y se sienten presionadas para manifestar el "instinto maternal", tanto en hijos propios como en ajenos. En consecuencia, suelen lanzarse a la integración en la nueva familia con expectativas excesivas e irreales, tanto con respecto a sí mismas como a sus parejas e hijastros. De acuerdo con su personalidad, y con sus circunstancias familiares y sociales, las madrastras suelen autoexigirse:

— "Compensar" o "reparar" el daño causado a los niños por el divorcio y/o la pérdida de la madre, haciendo llover sobre ellos su amor maternal, y creando una familia unida y feliz, idéntica a una familia "intacta".

— Mantener igualmente satisfechos, felices y libres de celos y competencia a todos los miembros de la familia.

— Querer a sus hijastros a primera vista, sentir por ellos el mismo cariño que por sus propios hijos, y ser querida recíprocamente en forma instantánea.

— Transformarse en negaciones vivientes del mito de la "madrastra malvada" y, por el contrario, erigirse en el modelo de la madre sustituta bondadosa, comprensiva y sumamente progresista.

Si una madre de familia intacta enunciara objetivos semejantes, sus parientes, amigos y terapeutas le asegurarían que son exagerados: no se pueden erradicar los celos por decreto, ni es posible garantizar una constante armonía familiar. **En las familias de nuevo matrimonio —en las que existen dificultades internas y externas que les son propias— tales propósitos están completamente alejados de la realidad.** A pesar de que no existe una tipología de relaciones madrastra-hijastros, se puede efectuar una revisión general de cada una de estas expectativas:

— **"Compensar" a los hijastros por las pérdidas sufridas.** En general, las madrastras son conscientes de que los hijos de su pareja han sufrido perturbaciones en su vida debido al divorcio, a los problemas de pareja que lo precedieron, y a la eventual "pérdida" de uno de los progenitores, al que ven menos que antes. Es natural que sientan el impulso de "reparar" los daños sufridos por los niños. Sin embargo, estos deseos, por bien intencionados que sean, no siempre son recompensados del modo que se espera, ni acarrean mayor felicidad familiar.

Mora, una joven pediatra, comenzó una unión consensual a los 25 años con Carlos, un empresario de 30, separado y padre de Simón, que en ese momento tenía seis años. La ex mujer de Carlos, devota católica, no aceptaba el divorcio ni la posibilidad de nuevo matrimonio, por lo cual la separación se realizó en circunstancias particularmente tormentosas. Cada vez que Carlos intentaba ver a su hijo, se producían escenas violentas. Por otra parte Simón, a quien su madre ponía como árbitro en la pelea con su ex esposo, demostraba una hostilidad creciente hacia su padre. Cuando Carlos inició su relación con Mora, la situación era tan catastrófica que había renunciado a ver a su hijo, aunque pagaba puntualmente su cuota de alimentos.

Mora trató de reparar las pérdidas sufridas por Simón: convenció a su pareja de que no renunciara al niño, sugirió un régimen de visitas —miércoles y sábados— y, desde su condición de pediatra, habló con la madre de Simón sobre el daño que causaba a su hijo impidiéndole ver al padre. Cuando el niño los visitaba, ella se esforzaba por recibirlo en una atmósfera alegre —diferente de la de la austera y oscura casa de su madre— y de mimarlo de diversas maneras. Sin embargo, la hostilidad entre padre e hijo ya estaba firmemente instalada. Simón consideraba que Mora era el principal obstáculo para que Carlos se reuniera con su madre, y le demostraba su rencor de todas las formas imaginables. Cuando Mora y Carlos tuvieron su primer bebé, Simón reaccionó con violencia, agrediendo físicamente a su hermanito. Cuando se dedicó a jugar al blanco con la cabeza del bebé, arrojándole diversos objetos, Mora se sintió furiosa y dolorida, y abandonó los intentos de "reparación". Simón tiene hoy diecinueve años, pero la relación con su padre, su madrastra y sus tres hermanos no ha mejorado. "Creo que todo habría sido más fácil si yo no me hubiese preocupado tanto por reconciliar a padre e hijo, y por hacer que Simón me quisiera. A veces, es mejor retirarse un poco, y dejar que el padre resuelva el vínculo con su hijo como mejor le parezca; sólo intervengo cuando hay conflictos con los demás chicos", reconoce Mora trece años después.

Los hombres intentan resarcir a *sus* hijos por los daños sufridos a causa del proceso de divorcio, pero en general no se sienten obligados a hacer lo mismo por sus hijastros. Probablemente esto se deba a las diferencias culturales entre los dos sexos. Las mujeres están socialmente condicionadas para construir y mantener el hogar, encargarse de la familia, alimentarla, cuidar a los enfermos, educar a los niños, transmitirles sus valores éticos y morales. Por lo demás, a diferencia de los padrastros, son las mujeres las que tratan de pasar mayor tiempo en la casa, aunque desarrollen carreras propias. Por estas razones, están más en contacto con sus hijastros y se sienten responsables de su bienestar.

Con frecuencia, estas actitudes suelen resultar contraproducentes: cuanto más afectuosa, generosa y bien intencionada es la madrastra, más problemas puede suscitar. El padre quizá sienta que ella está intentando sustituirlo en el afecto de sus hijos; o los sentimientos de lealtad que conserva hacia su ex mujer le hacen sentir que la traiciona si sus hijos responden demasiado bien a las muestras de cariño de su nueva esposa; o los hijastros pueden no responder tan rápida o afectuosamente como la madrastra espera. Algunos hijastros suelen resentirse con las atenciones de la nueva pareja del padre como un intento de remplazar a su madre, y en consecuencia reaccionan negativamente ante sus demostraciones de cariño.

"Cuando conocí a los hijos de Andrés, sentí mucha pena por ellos", cuenta Magdalena. "Su madre no deseaba la tenencia. Primero sufrió una grave depresión, debido al divorcio; luego, cuando se recuperó un poco, decidió retomar su carrera universitaria, y dijo que no tenía tiempo ni energía para criar a sus hijos; en todo caso, era evidente que no estaba muy interesada en los niños, a pesar de que ellos la adoraban e idealizaban. Como yo misma había sufrido mucho en mi infancia por la indiferencia de mi madre, me identifiqué con ellos. Me propuse inmediatamente rodearlos de cariño. Aun antes de casarme con Andrés, organizaba almuerzos domingueros hogareños, inventaba salidas divertidas, les hacía regalos, les aseguraba constantemente que los quería. Sin embargo, ellos me miraban con desconfianza: ¿por qué habría de quererlos si todavía no los conocía lo suficiente? Mientras más abandonados por su madre se sentían, tanto más reaccionaban con hostilidad ante mis esfuerzos. Finalmente, decidí distenderme un poco, reducir mis exigencias hacia mí misma y hacia ellos, y dejar que las cosas fueran resolviéndose por sí mismas. Nuestra relación fue mejorando poco a poco, a lo largo de cinco años. Mi ansiedad por reparar el abandono materno había estado a punto de estropearlo todo."

"No es posible *compensar* el dolor pasado", plantean Emily y John Visher. "Los individuos experimentan ansiedad y dolor cuando enfrentan el estrés de la desintegración familiar, a través de la muerte o el divorcio. Las nuevas relaciones son capaces de proporcionar interacciones positivas y cálidas que pueden ser muy significativas. Sin embargo, el dolor existió, y no puede ser negado. Aceptar su presencia y entender la necesidad de los individuos de elaborar el duelo por la pérdida y admitir el dolor, es una ayuda apreciable; pero las mujeres que esperan erradicar, remplazar o compensar estos sentimientos, construyen muchos círculos viciosos desastrosos en las relaciones de nuevo matrimonio".

— Crear una familia de nuevo matrimonio unida y feliz.
Los condicionantes culturales mencionados hacen que las mujeres se sientan las principales responsables del clima afectivo que se vive en las nuevas formaciones familiares. A menudo, tanto ellas como sus parejas carecen de información con respecto a la particular estructura de las familias de nuevo matrimonio. Por lo tanto, tienden a pasar por alto o negar que son diferentes de las familias intactas, y esperan que sean idénticas a éstas en lo que se refiere al cariño entre sus miembros, equilibrio, estabilidad y unión. Incluso en las familias que no han atravesado divorcio alguno, nada garantiza que las tormentas

—individales o grupales— sean capeadas siempre con éxito, a pesar de las imágenes optimistas que transmiten las series televisivas. En las familias de nuevo matrimonio, las madrastras que asumen el peso de pretender convertirlas en un modelo de cohesión y amor fraterno, filial y conyugal, suelen acabar exhaustas y decepcionadas: han cargado con una misión, si no imposible, al menos extraordinariamente difícil.

En la sociedad argentina actual, al igual que en la mayoría de los países latinos, la familia intacta es aún el modelo de "lo que debe ser", y los miembros de las nuevas formaciones familiares —a pesar de que ya no son una minoría— aún pretenden entrar en este molde. Muchas madrastras sienten que ésta es **su misión**, lo que frecuentemente se ve reforzado por la presión de su pareja, su familia de origen o su grupo de amigos. Al tratar de cumplir estos objetivos, se sienten agotadas, entrampadas y furiosas. "Si hubiera sabido de qué se trataba en realidad, nunca me habría metido en esto", confiesa una cansada mujer de 42 años, con tres hijastros y dos hijos propios.

La presión ejercida por las familias ampliadas puede ser considerable. Si bien Magdalena contaba con el apoyo de sus hermanos y cuñados —sumamente valioso a la hora de detectar enfermedades infantiles, afrontar problemas de disciplina y eventualmente cuidar a los niños alguna noche—, sentía que la empujaban a ser una madre perfecta instantánea. Una vez que se quejó ante su hermana mayor porque la administración simultánea de su casa, sus hijastros y su agencia de viajes la agotaba, la respuesta fue: "No has tenido hijos propios, así que tu destino es ocuparte de los de tu marido: tómalo como tu misión en la vida". Por otro lado, los padres de Andrés, que nunca habían aceptado completamente a su primera esposa, insistían en que "fuera una buena madre sustituta para los niños". "Eso me horrorizaba y me daban ganas de retirarme de la escena. Para empezar, yo no deseaba sustituir a otra mujer, sino cumplir mi propio papel; además, creo sinceramente que sustituir a una madre, sobre todo si ésta está viva y ve a sus hijos regularmente, es una tarea imposible; y para terminar, deseaba que las relaciones familiares fueran evolucionando al ritmo que Andrés, los chicos y yo pudiéramos aceptar", relata Magdalena.

Reconocer que las familias de nuevo matrimonio tienen estructuras, necesidades, tiempos y modos de funcionamiento distintos a los de las familias intactas —sin dejar por eso de ser unidades familiares afectuosas y funcionales— ayuda a reducir las tensiones de los diversos miembros del grupo. Dejar de lado el modelo de la familia nuclear intacta, y construir modelos propios, más congruentes con las propias necesidades, resulta más creativo y menos culpabilizador.

— **Mantener a todos los miembros del grupo familiar igualmente felices.** Las madres biológicas, en las familias intactas, encuentran difícil tratar equitativamente a todos sus hijos, evitar los celos mutuos y negar favoritismos. Para las madrastras en las familias de nuevo matrimonio, donde conviven hijos e hijastros, y donde cada grupo trae consigo diferentes códigos y normas, mantener la cohesión y la equidad es una tarea hercúlea. Detalles como si se come carne o pescado, si se pone la mesa de cualquier modo o más formalmente, si todos contribuyen a las tareas domésticas o si algunos quedan exentos de ellas, si se autoriza a ver televisión antes o después de hacer las tareas escolares, pueden transformar cualquier mesa de comedor en un campo de batalla.

En las familias intactas, las madres cumplen funciones moderadoras y normativas, muy a menudo a un costo emocional considerable. Pero, al menos, su labor materna es reconocida y, eventualmente, recompensada. Además, la tarea es más fácil: ella ha criado a sus hijos desde que eran bebés, conoce sus gustos, ha podido desarrollar sus propias estrategias. Las madrastras desconocen con frecuencia las reacciones de sus hijastros, y necesitan de un largo y difícil proceso de ensayo y error antes de volver compatibles las demandas y necesidades de cónyuges, hijastros, hijos, hermanastros. Por lo demás, la carga cultural negativa que impregna el papel de madrastra hace que muchos de sus esfuerzos sean mirados con suspicacia, y raramente reconocidos. ¿Alguien escuchó alguna vez cantar "Pobre mi madrastra querida, cuántos disgustos le daba"?

— **Contrarrestar el modelo de la madrastra malvada.** Las madrastras son seres culturalmente desfavorecidos. Abundan los mitos de las madrastras perversas, que maltratan a sus hijastros, los odian y quieren hacerlos desaparecer. Tanto las mismas madrastras y los progenitores como los niños, han absorbido estos mitos desde la primera infancia, a una edad en que dejan impresiones imborrables. Los niños están tan imbuidos de las connotaciones negativas de la imagen de la madrastra, que con frecuencia les cuesta un gran esfuerzo separarla de la situación real.

Una joven, casada recientemente con un divorciado con tres hijos pequeños, con los que había establecido vínculos muy afectuosos durante el noviazgo, les dijo en broma: "Ahora, soy su madrastra". Los niños la miraron con azoramiento. "Tú no eres nuestra madrastra; mamá vive; además, tú eres buena", dijo por fin la mayor. El más pequeño, de cuatro años, guardó silencio. Finalmente, expresó su preocupación: "Si ahora eres nuestra madrastra, ¿eso quiere decir que nos vas a tratar mal, nos vas a hacer trabajar en la cocina y no nos vas a dar de comer?", preguntó.

Las madrastras también pueden estar luchando contra esas imágenes de maldad inherentes a su papel, que tienen profundamente grabadas. "Cada vez que les prohíbo algo a los hijos de mi marido me veo a mí misma con un bonete negro y puntiagudo, un espejo mágico y una manzana envenenada en la mano", se lamenta una mujer que, sin embargo, está lejos de este prototipo.

Para diferenciarse de estos modelos negativos, algunas madrastras tienden a ser hiperpermisivas, a cubrir a sus hijastros de regalos desmedidos o a mimarlos en exceso. Muchas experimentan grandes tensiones cuando tratan de compatibilizar límites y normativas para con hijos e hijastros. "Si fuera mi propio hijo, no tendría empacho en dejarlo sin televisión por dos días si no cumple con su parte de las tareas de la casa. Pero como es mi hijastro, me siento una bruja malvada si lo castigo", es una declaración recurrente.

Cobrar conciencia sobre el difícil papel de las madrastras, comparar experiencias con otras mujeres en la misma situación puede ayudar a vencer estas desventajas folklóricas y culturales. Además, ¿por qué no empezar a escribir cuentos en los que haya madrastras buenas?

— La expectativa del amor maternal a primera vista.

La contraparte del mito de las madrastras perversas es la ilusión del cariño instantáneo entre madrastras e hijastros. Con mucha frecuencia, el progenitor espera que su nueva esposa experimente instantáneamente un gran amor maternal por sus hijastros, en tanto ella siente que eso es pedirle demasiado, al menos por el momento. Los padres biológicos, que han querido a sus hijos desde su nacimiento, encuentran inconcebible que su pareja no comparta sus sentimientos. El razonamiento suele ser el siguiente: "Amo a mi esposa; ella me ama; quiero a mi hijo; mi hijo me quiere; por lo tanto, mi esposa y mi hijo tienen que quererse". Lamentablemente, los sentimientos humanos son complejos, y no siempre siguen una lógica de carácter transitivo.

De la misma manera, muchas madrastras asumen como válido el mito del amor instantáneo, y creen que sus sentimientos hacia hijos e hijastros no deberían ser diferentes. Para estas mujeres, los mitos de la madrastra malvada actúan como recordatorios de lo que **no tienen que ser**. En los casos en que no pueden amar a sus hijastros, o al menos no pueden quererlos **cuando creen que deben hacerlo**, se sienten agobiadas por sentimientos de culpabilidad.

A veces, la madrastra está influida por los contradictorios mensajes sociales que recibe. Al mismo tiempo que se la sumerge en el mito de que las madrastras son malas y que no quieren a sus hijastros, se les transmite el mandato de que DEBEN amarlos. De este modo, se encuentran en una trampa: **no tienen que tratar de remplazar a la madre biológica, pero se espera que sean figuras parentales, que acepten todas las responsabilidades inherentes a este papel, y que amen a los niños como si fueran sus propios hijos**.

Quizá signifique un alivio saber que muchas mujeres no aman a sus propios bebés cuando éstos nacen, y que también se sienten culpables por ello. Donald Winnicot, un conocido psicoterapeuta británico, asegura que, normalmente, una madre comienza a amar a su bebé durante el embarazo, pero que esta cuestión está vinculada a la experiencia de la gravidez y a la familiaridad con el niño que se siente crecer en el vientre, y no a una predisposición instintiva. Otras permanecen más indiferentes durante el embarazo, pero les cobran cariño durante el período de lactancia, debido a la intimidad que se crea con el bebé. El "instinto maternal" no es innato en las mujeres, sino que —como todo sentimiento humano— se construye. Tanto el padre como la madre deben construir un vínculo con su hijo desde que éste nace. Remitir ese amor exclusivamente a la madre es una concepción cultural, que proviene de la antigua costumbre de que la responsabilidad de los hijos recaiga sólo sobre la madre. La capacidad de amar se va formando mientras el vínculo *de ambos padres* con el bebé se solidifica con el correr del tiempo, la dedicación y el esfuerzo. No se culpe si sus flamantes hijastros no despiertan en usted llamaradas de amor maternal instantáneo.

La otra cara de esta moneda es que muchas mujeres esperan que **sus hijastros** las amen a primera vista. La resistencia de los niños al amor súbito puede producirles sentimientos de furia y rechazo, que ciertamente no contribuyen a cimentar una buena relación, y que las precipitan en un círculo vicioso descendente de hostilidades mutuas.

En general, **los profesionales de la salud mental aconsejan no esperar que el cariño entre los miembros de una nueva formación familiar se desarrolle de la noche a la mañana. El cariño es una planta de crecimiento lento, que necesita ser regada con respeto mutuo, historia compartida, conflictos afrontados y resueltos. Por otro lado, pueden existir relaciones satisfactorias entre madrastras e hijastros sin que sientan profundo afecto mutuo.** Aún así, muchas mujeres se sienten culpables por no estar a la altura de sus propias exigencias con respecto al amor instantáneo.

Madrastras sin hijos

Un estudio de la psicoterapeuta e investigadora estadounidense Lucille Duberman indica que **las madrastras que no tienen hijos propios tienden a encontrar mayores dificultades en la relación con los hijastros que las que sí los tienen.** Las mujeres que no han sido madres no disponen de experiencias propias que las ayuden a tratar con hijos ajenos. En general —a menos que tengan ocupaciones relacionadas con niños, por ejemplo si son maestras, niñeras, pediatras, etc.— no saben qué esperar de los hijos de su pareja, lo que las lleva a estados de ansiedad, temor o indecisión.

Jeannette, la empresaria mencionada en el Capítulo 3, nunca había tenido contacto con criaturas, exceptuando momentos pasados con sus sobrinos o hijos de amigos. Súbitamente, tuvo que hacerse cargo, durante tres días por semana, de las hijas en edad preescolar de Ricardo, su marido. Se sintió profundamente desconcertada: no sabía qué era normal o no en un comportamiento infantil, creía que los malos humores de las niñas —debidos a cualquier razón, como una pelea entre ellas o un disgusto en la escuela— le estaban personalmente dirigidos, no sabía poner límites sin creerse excesivamente severa. Al borde del pánico, encontró intuitivamente una solución: pidió ayuda a su propio marido y a sus amigas con hijos, leyó libros de pediatría y psicología infantil, y finalmente decidió desdramatizar la situación y aceptar que no era una madre perfecta. El vínculo con sus hijastras —hoy adolescentes— pudo desarrollarse así relativamente con pocos tropiezos.

A menudo, las mujeres sin hijos propios acogen con entusiasmo a los hijos de su pareja, pues los ven como un medio de realizar su propia maternidad. Esto puede ser sumamente beneficioso para el grupo familiar, sobre todo en los casos en que la madre biológica ha muerto o está ausente. En estos casos, la madrastra es una madre sustituta que se encuentra en situación de brindar a sus hijastros todo su potencial de afecto y atención, sin tener que compartirlo con sus propios hijos. Sin embargo, esta situación también puede conducir a nuevas frustraciones. Es muy posible que los niños sientan que ellos *ya tienen una madre*, y que contemplen como a una intrusa a la que pretende ocupar ese lugar. **Una mujer sin hijos que entra en una familia de nuevo matrimonio está en la situación de una persona sola que se une a un grupo preexistente: es una extraña que tiene que hacerse un lugar en un sistema ya formado, y que está unido por complicados lazos de afectos y lealtades.** Por lo demás, no posee la ventaja de contar con una imagen positiva de sí misma como madre, que contrabalancee la connotación negativa de madrastra. Las madres que han criado hijos propios están seguras de su capacidad maternal. Si tienen contrariedades con sus hijastros, es probable que las atribuyan a los problemas típicos de esta relación, y no a su propia incapacidad como madres. Por el contrario, una madrastra sin hijos, que encuentra dificultades para vincularse con sus hijastros, carece de experiencias maternales que la tranquilicen. Como consecuencia, puede sentirse profundamente insegura y sufrir de una disminución de su autoestima.

Ser madrastra pero no madre puede provocar sentimientos de insatisfacción y celos: después de todo, el marido *SI* tuvo hijos con otra mujer. En las parejas relativamente jóvenes, el nacimiento o la adopción de hijos propios puede ayudar a solucionar esta situación. En el caso de las mujeres que han superado la edad de la maternidad, o que simplemente no desean tener hijos, ya sean biológicos o adoptivos, las dificultades pueden resolverse mejor con la ayuda de su cónyuge: como vértice del triángulo afectivo entre su mujer y sus hijos, es él quien está en mejor posición para integrar a su nueva esposa al grupo familiar. Las psicoterapias de familia y pareja son también recomendables en estos casos, tanto en forma preventiva —durante la época previa al matrimonio o a la convivencia— como para aclarar y resolver las posibles crisis. En todo caso, **es útil recordar que puede llevar cierto tiempo llegar a penetrar en el grupo formado por padre e hijos, y sentirse "en casa" en él. Tratar de forzar la entrada puede tener efectos contraproducentes, al igual que la medida contraria de retraerse y encerrarse en una esfera unipersonal de resentimiento.**

Madrastras y madres

Las madrastras que son a la vez madres de hijos propios —de un matrimonio previo— cuentan con algunas ventajas: su maternidad ya está probada, tienen detrás una experiencia útil y, sobre todo, **comparten con sus nuevos maridos el hecho de que los dos son a la vez progenitores y padrastros.** Los sentimientos —a veces contradictorios— de cada adulto con respecto a los hijos propios y ajenos pueden ser más fácilmente entendidos por el cónyuge.

Sin embargo, no todo es rosa en este panorama. Si cada uno de los cónyuges tiene hijos de matrimonios anteriores, quizá tendrán que afrontar algunas dificultades: la formación de grupos competitivos dentro de la familia, rivalidad entre hermanastros, o problemas de disciplina, ya que ambos grupos de hijos pueden responder a distintas normas. "Si exijo a mis hijos que hagan su cama y laven los platos, ¿cómo puedo explicarles por qué mis hijastros se la pasan mirando televisión mientras tanto?", se lamenta la madre de dos hijos pequeños, y madrastra de una niña y un adolescente.

Algunos momentos de solaz familiar, como las vacaciones, suelen transformarse en un infierno de complicaciones. Es relativamente fácil para una pareja organizar un viaje con hijos propios, pero combinar fechas con "los míos, los tuyos, los nuestros" —cuando hay que discutir y ponerse de acuerdo en un cronograma con la madre de los hijos del marido, y el padre de los de la mujer— suele complicar cualquier verano.

Las parejas con dos o tres juegos de hijos (si se incluyen los retoños comunes) suelen enfrentar otro inconveniente: la falta de tiempo para estar a solas, construir una intimidad propia y consolidar su relación. Los fines de semana en que los hijos de ella visitan a su padre, llegan los hijos de él... Resulta imposible librarse de todos los niños al mismo tiempo. En el caso de parejas de nuevo matrimonio en que la relación es aún relativamente nueva, las necesidades opuestas —vivir una luna de miel casera y atender simultáneamente las demandas de los hijos de la forma más equitativa posible— puede generar tensiones familiares difíciles de sobrellevar.

En estos casos, resulta aconsejable fabricar un tiempo y un lugar propio para la pareja, dado que el foco debe centrarse en la consolidación de la relación marital. Puede tratarse de un viaje, dejando a hijos e hijastros a cargo de parientes, una empleada de confianza, amigos. O, simplemente, pueden tomarse una tarde en el campo, en un hotel, o disfrutando de un picnic solitario en el espacio verde más cercano. Estos momentos de intimidad sirven como un imprescindible respiro en una vida cotidiana intensamente poblada.

Los hombres en general —exceptuando a aquellos con vocación maternal bien definida— tienden a diferir de las mujeres en cuanto a las expectativas que depositan en la nueva relación familiar y en los vínculos con los hijastros. Suelen implicarse menos en la crianza de los hijos de su esposa, aunque existe una tendencia creciente a participar más en la educación de los niños y en las tareas domésticas. Por lo demás, no acarrean una carga cultural negativa: los malvados padrastros no abundan en los cuentos de hadas. Si bien aparecen luego en la literatura y en el cine —el padrastro usurpador en *David Copperfield* de Charles Dickens, el pastor ultrarrígido y sádico en *Fanny y Alexandre* de Ingmar Bergman—, y en la crónica policial, estas imágenes no han permeado los recuerdos infantiles más tempranos.

A pesar de estas ventajas, el papel del padrastro aún no está bien definido socialmente. En una sociedad en la que las funciones más tradicionales de los padres son la alimentaria y la normativa, el padrastro puede sentirse perdido: por un lado, los niños poseen un padre biológico, cuya imagen y autoridad no es prudente cuestionar. Por otra parte, el padre verdadero puede o no cumplir con su función de proveedor; esto deja al padrastro el incierto papel de cumplir con funciones parciales: ya sea que mantenga total o parcialmente a los hijos de su mujer, que los eduque o que contribuya a mantener la disciplina hogareña, no se está ocupando de las tareas específicas inherentes al padrastro, sino de las que el padre "verdadero" no cumple por entero. **Mientras el papel de los padrastros se define en cada familia, es conveniente recordar que ninguna relación con los hijastros puede ser resuelta inmediatamente: se necesita tiempo, conocimiento mutuo, respeto y momentos compartidos para construir un vínculo placentero.**

Padrastros sin hijos

En tanto las madrastras sin hijos propios son las que tienen mayores problemas al integrar una nueva formación familiar, los padrastros en la misma situación son los que

sufren menos dificultades. Al no tener hijos de un matrimonio previo, están libres de la culpa de haberlos "abandonado" a sus madres, y pueden relacionarse con sus hijastros con mayor libertad. Su inexperiencia en el trato con los niños no resulta tan importante, puesto que en general están menos comprometido que su contraparte femenina —tanto emocional como operativamente— con su crianza y su vida cotidiana.

Por lo demás, los hombres están mejor condicionados por la sociedad para aceptar y hacer aceptar su integración a una familia, con una esposa e hijos instantáneos: **en la mayoría de las nuevas formaciones familiares, la mujer es el núcleo de continuidad de las familias.** Es ella la que permanece en la casa matrimonial con sus hijos —de una o más uniones anteriores—, y su nuevo marido se añade naturalmente al grupo familiar. Los hombres parecen admitir más fácilmente que las mujeres el hecho de que su pareja tenga hijos previos. Tal vez esto se debe al concepto ancestral de que las mujeres permanecen con los hijos y los hombres pueden "allegarse", pasar con ellos meses o años, partir, y ser sustituidos por otros.

Ladislao, un ingeniero de 36 años, conoció a su segunda mujer, Alicia, cuando ambos acababan de divorciarse. Después de un breve noviazgo, Ladislao, que no tenía hijos, se trasladó a la casa de Alicia, quien era madre de Jorge, un niño de 5 años. "Siempre consideré perfectamente natural compartir nuestra vida con Jorge. Después de todo, es lógico que las madres conserven la tenencia de los hijos. Es más, si Jorge hubiera vivido con su padre, yo lo habría considerado... no sé... una deserción sospechosa por parte de mi mujer", declara Ladislao quince años después. "Como mi primera mujer no había podido tener hijos, me alegró tener por fin un niño en la casa, particularmente porque era varón: podía llevarlo a pescar, jugar con él al fútbol, en fin, compartir una serie de actividades masculinas que a Jorgito le hicieron mucho bien." Diez años y dos hijos propios más tarde, la pareja se divorció. Alicia permaneció en la misma casa con sus tres hijos, y dos años después formó una nueva pareja, que actualmente vive con ella y los niños de sus dos matrimonios anteriores. Ladislao, por su parte, vive con su tercera esposa y la hija adolescente de ésta, y ve a sus dos hijos biológicos los miércoles y los fines de semana.

La moraleja parece ser: en la mayoría de los intrincados movimientos de divorcios y nuevos matrimonios, las madres permanecen y los padres transitan.

Padrastros y padres

Debido a que generalmente se otorga la custodia de los hijos a la madre, los padrastros que tienen hijos de una unión anterior no suelen vivir con ellos. En consecuencia, experimentan sentimientos de culpa con respecto al desempeño de su papel como padres. Cuando sus hijos los visitan los fines de semana, tratan de "lavar" esta culpa convirtiéndose en superpapás: los llevan a los lugares de diversión más interesantes que puedan pagar, les hacen regalos y tratan de no imponerles límites disciplinarios. Con frecuencia la esposa —quien se ha ocupado de sus propios hijos durante la semana, y que desearía pasar un poco de tiempo a solas con su marido— se siente excluida y enfadada, lo que no contribuye a una buena integración de ambos núcleos familiares.

Si el padre posee la custodia de sus hijos, es común que construya con ellos lazos muy fuertes, lo que hace que la nueva esposa se enfrente a un círculo casi impenetrable, como se vio en el caso de Andrés y Magdalena. Según los psicoterapeutas consultados, estos padres suelen tener dificultades para disciplinar a sus hijos o aceptar que sus nuevas esposas participen de la tarea normativa. Como en general es la madrastra la que pasa más tiempo con los hijos de su pareja, la diferencia de normas entre sus hijos y sus hijastros puede causarle problemas graves. Suele ocurrir que sus hijastros no acepten su autoridad —ya que su padre no se la ha otorgado— y que sus hijos biológicos se quejen por las "injusticias" o falta de equidad en las pautas de conducta, límites, asignación de tareas, etc.

Los hombres que son a la vez padres y padrastros se ven envueltos en la estructura más complicada de las familias de nuevo matrimonio. Habitualmente, los hijos del marido lo visitan los fines de semana, mientras que su vida cotidiana se desarrolla con sus hijastros. Estos padrastros cuentan con la ventaja de la experiencia en lo que se refiere a la crianza de los niños, pero frecuentemente los hijastros difieren en sexo y en edad de sus propios hijos, y responden a normas de conducta distintas, lo que puede desconcertar al "padre instantáneo" en los primeros tiempos.

Es conveniente aceptar que los sentimientos de un padrastro hacia los niños son diferentes a los de la madre: el factor biológico tiene un peso importante en las relaciones. Estas diferencias pueden obstaculizar la comprensión mutua entre los miembros de la pareja en lo que se refiere a los niños. Conversar sobre el tema, admitir las diferencias, recurrir a amigos, parientes, grupos de apoyo o terapeutas, suele ser un valioso aporte para la armonía del grupo familiar.

SOBRE EDADES Y SEXOS

La edad y el sexo de los hijastros son factores significativos en la determinación del vínculo con las nuevas parejas de los progenitores. Las investigaciones llevadas a cabo por psicoterapeutas estadounidenses y canadienses establecen que, **cuanto mayor es el niño, más dificultades presenta la relación con la madrastra o el padrastro.** Un bebé puede ser abrazado para darle seguridad y calor, un niño pequeño puede ser entretenido sin emociones violentas, pero cuando se acerca la adolescencia, con su necesidad de establecer una identidad personal —a veces contra el resto del mundo—, la existencia de una madrastra o un padrastro que pueden aparecer como rivales resulta desestabilizadora.

En realidad, un elemento clave en la relación entre padrastros e hijastros se encuentra en cómo han elaborado estos últimos el divorcio de sus progenitores.

• *Los niños en edad preescolar* expresan tristeza y rabia por el divorcio, y frecuentemente tienden a culparse por él. Por ejemplo, es habitual que fantaseen con que, si papá dejó a mamá, se debe a que los niños se portaban tan mal que provocaron el abandono. Luego de la separación, cuando el progenitor custodio comienza a mantener relaciones amorosas con el sexo opuesto, los niños más pequeños se sienten amenazados por los nuevos comportamientos de los padres y por un tipo diferente de ausencias de éstos del hogar. Los niños mayores se muestran inquietos y alterados por la sexualidad de sus padres, implícita en la vida social y afectiva del posdivorcio, y que no habían percibido anteriormente.

Para los niños pequeños, tanto el divorcio de sus padres como su nuevo matrimonio se asocia a un sentimiento de pérdida. Las nuevas figuras parentales pueden implicar cambios de casa, de costumbres, de barrio, de amigos y parientes. En caso de que los padres logren mantener entre sí una relación serena en el posdivorcio, los psicoterapeutas aconsejan que los niños tengan contacto con ambos padres biológicos. Por el contrario, si éstos mantienen un estado de guerra permanente, se recomienda evitar que el niño se encuentre en medio del fuego cruzado; en tal caso, los expertos sugieren que vea al progenitor no custodio con menor frecuencia, hasta que la tormenta emocional haya amainado.

Es más probable que los niños pequeños respondan positivamente a una madrastra o un padrastro cariñosos, si no existe una relación antagónica entre sus padres biológicos. También es frecuente que la nueva pareja del progenitor encuentre más fácil encariñarse con un niño en edad preescolar, cuando conserva más candidez y encanto que en etapas posteriores de su crecimiento.

• *Los niños de seis a doce años* manifiestan fuertes sentimientos de cólera y dolor ante las pérdidas que implica el divorcio. Muchas veces, esta rabia se encauza hacia la madrastra o el padrastro. Sin embargo, con los cuidados apropiados —que pueden incluir psicoterapias o grupos de apoyo— pronto son capaces de comprender que **aceptar a un padrastro o a una madrastra no significa tener que renunciar a sus padres biológicos**. En numerosos casos, tanto las parejas de los progenitores como sus familias extensas son aceptadas como una adición. En el libro *Cuernos de mujer*, de la periodista y escritora española Carmen Rico Godoy, la protagonista, recientemente separada, está en una playa con su hijito. Este traba amistad rápidamente con una niña andaluza de once años, con quien la protagonista mantiene el siguiente diálogo:

—Oye, y tus padres, ¿hace mucho que se han divorciado?

—Uf, hase tela de tiempo. Era yo pequeña, así como éste. Entonse, ahora tengo —la niña empezó a enumerar ayudándose con los dedos de la mano— seis abuelo, dos madre, dos padre, dos hermanos de verdad y tré postiso, y muscho tío y tía y primo.

Evidentemente, la niñita había aprendido a sacar el mejor partido posible de los nuevos matrimonios de sus padres.

A esta edad los varones suelen identificarse con su padre, y se preocupan por su bienestar si éste vive solo. Si los padres tienen una novia o vuelven a casarse, los niños demuestran con frecuencia orgullo y placer. En cambio, no reciben del mismo modo el nuevo matrimonio de la madre, dado que significa la entrada en escena de un rival poderoso.

Por el contrario, las niñas de seis a doce años se identifican más con su madre, y no se preocupan tanto como los varones por la posible depresión o soledad del padre. El nuevo matrimonio de éste les reaviva los sentimientos de pérdida, y reaccionan frecuentemente convirtiéndose en rivales de la madrastra por el afecto del padre, o compitiendo con su madre por la atención del padrastro.

• *Las relaciones con hijastros adolescentes* suelen ser considerablemente más difíciles y complejas. La adolescencia de los hijos es, con frecuencia, un período caótico en las familias intactas; en las de nuevo matrimonio, en las que las emociones se viven más dramáticamente, suele conllevar dificultades adicionales en el vínculo con las parejas de los progenitores. En esta etapa de su desarrollo, los adolescentes que han pasado por las experiencias de divorcio y nuevo casamiento de uno o los dos progenitores, enpiezan a apartarse de sus padres y padrastros, y a buscar apoyo y contención entre sus pares. Si los adultos aceptan estos intentos de autonomía y diferenciación de la familia original como parte normal del proceso de crecimiento, los adolescentes se sentirán más tranquilos, y estarán en condiciones de aceptar la utilidad y la comodidad de disponer de más de dos modelos adultos de comportamiento.

El estudio de Duberman mencionado anteriormente plantea no sólo que la relación más compleja en este período es la que existe entre madrastras e hijastras, sino que tiende a empeorar cuanto mayor sea la madrastra. Es posible que esto se deba a que las adolescentes tienden a identificarse fuertemente con sus madres, y experimentan resentimiento ante cualquier mujer que las remplace en el amor del padre. Las jovencitas también demuestran un alto grado de competencia con la mujer del padre por las atenciones de éste.

Por su parte, los varones adolescentes se identifican con sus padres, y experimentan dificultades para identificarse con sus padrastros si éstos son muy diferentes de sus padres biológicos. Durante estos años, suelen experimentar profundos sentimientos de ambivalencia, difíciles de expresar, hacia las parejas de sus madres.

Tamara, una abogada de 45 años, relata su experiencia: "Cuando me casé con Sergio, tuve que hacerme cargo de inmediato de un varón de catorce años y de una jovencita de diecisiete. Al principio, fue espantoso: por una parte, yo venía de un divorcio, pero no había tenido hijos propios, lo que me colocaba en desventaja desde el principio. Quiero decir que cuando una pare a sus hijos, les cambia los pañales, les pone talco en las rozaduras, los lleva al colegio y les ayuda con las tareas escolares... bueno, los va conociendo y formando, y para la época en que se transforman en adolescentes impredecibles, una los ama, puede intuir contra qué están reaccionando, y es capaz de encarar las cosas de otra manera. Pero yo me vi enfrentada desde el comienzo a dos adolescentes que apenas conocía, en pleno conflicto de identidad, que me miraban como si fuese la usurpadora de todo lo que ellos amaban. Además, hacía cuatro años que Sergio se había divorciado cuando nos conocimos; durante ese tiempo Alejandra, su hija, había tomado a su cargo la organización de la casa, y se consideraba la mujer adulta del hogar. Mi llegada alteraba su sentido del "status" doméstico: yo no sólo le robaba a su padre, sino también su papel de persona mayor. Después de unos meses bastante conflictivos, nos decidimos a iniciar una terapia de familia. Las cosas mejoraron bastante: yo ya no pretendo imponer todos mis modos de hacer las cosas, comparto varias de las decisiones hogareñas con Alejandra, y ella se siente más aliviada; ya no tiene que jugar a cuidar a su papá y su hermano, y puede encarar más libremente su vida social. El hijo de Sergio, Pablo, empezó también a diversificar sus intereses, y ha dejado de estar tan pendiente de nosotros".

Las buenas noticias son que, normalmente, los adolescentes son capaces de experimentar sus propias necesidades de reafirmación e independencia como elementos separados de las necesidades de los adultos. Con ayuda adecuada de sus padres y/o de los terapeutas, pueden llegar a reconocer que la vida de sus progenitores ha mejorado a través de su nueva familia, a pesar de que íntimamente aún anhelen la re-unión de sus padres. También pueden aprender a desenvolverse fluidamente entre las dos familias, a aceptar sus diferencias y a aprovechar lo mejor de ambos mundos. A medida de que los jovencitos dejen de experimentar la necesidad de exhibir comportamientos provocativos, estarán en mejores condiciones de admitir la presencia de los padrastros y de mantener relaciones más satisfactorias con ellos. Por otro lado, una madrastra o un padrastro equilibrado y maduro, que se sienta cómodo en su papel, mantenga una buena relación con su cónyuge y proporcione experiencias positivas como modelo, genera en el adolescente una confianza renovada en la posibilidad de una buena relación conyugal, que había quedado dañada en el proceso de divorcio. La presencia de las nuevas parejas de los padres también puede sentirse como un alivio: el jovencito está liberado de la responsabilidad prematura de *hacerse cargo* —tanto en cuestiones prácticas como emocionales— de papá o mamá.

• *En cuanto a los hijastros adultos*, si bien en general ya no conviven con sus padres, se ven enfrentados, como los adolescentes y los pequeños, a conflictos de lealtad: ¿deben transmitir información de una familia a la otra? ¿Cómo deben relacionarse con los nuevos cónyuges de los padres? En general, las madrastras declaran establecer relaciones amables, y frecuentemente amistosas, con sus hijastros adultos, exceptuando los casos en que éstos no habían solucionado conflictos preexistentes con sus padres. Los hijastros que han alcanzado la independencia económica, han formado su propia familia y se sienten satisfechos en su vida laboral, tienden a comprender mejor las causas del divorcio de sus padres y a apreciar los beneficios de su nueva pareja.

¿POCOS O MUCHOS?

Las relaciones con los hijastros tendrán algunas características diferentes si se trata de un único hijo o de varios hermanos.

• *El hijastro único*: En los casos en que el progenitor tiene un hijo único, la madrastra o el padrastro enfrentan tantas ventajas como inconvenientes. Por una parte, el niño puede recibir a la persona recién llegada con alegría, dado que ésta es una nueva imagen parental, una fuente adicional de cariño, y que rompe el dúo con el progenitor, que puede tornarse pesado y asfixiante. Este es el caso de Rita, una chispeante pelirroja de 38 años, quien mantiene una relación con Lisandro, empresario de 44 años, divorciado y padre de una niña de 11 años, Karin, que vive con él. La madre de Karin vive en Caracas, donde la niña pasa sus vacaciones de invierno y verano. Rita se acercó a Karin cautelosamente, pues no quería imponerse en forma abrupta. Para gran sorpresa, la niña se volcó en ella con entusiasmo, reclamándole atención y cariño. "Karin es mi mejor aliada", anuncia Rita con orgullo. "Por una parte, estaba muy necesitada de una figura femenina: a su edad, las niñas buscan modelos para imitar." Lisandro añade: "Reconozco que soy demasiado serio y excesivamente entregado al trabajo; en Rita, Karin encontró a un adulto con el que puede divertirse, que la lleva de compras, al cine o a un picnic de frutas y chocolates, improvisado en un banco de plaza. En realidad, para ella mi novia es el complemento perfecto de su padre. Una vez que Rita y yo tuvimos serias dificultades de pareja, y nos planteamos la separación, Karin me demostró, con una madurez asombrosa, que yo estaba volcando en nuestra relación algunos conflictos que había tenido con mi ex esposa."

No todos los padrastros son tan afortunados. A veces, el hijo único se ve a sí mismo como la pareja exclusiva del progenitor sobre todo en los casos en que vive con él y que el otro progenitor brilla por su ausencia— y se resiente ante la entrada en escena de un extraño que ocupa de pronto un lugar prioritario en la vida de su madre o su padre. En este caso, es necesario proceder con mucha cautela. No intente conquistar a su hijastro rápidamente, pues sólo conseguirá aumentar su rechazo. Hágale saber que usted está disponible para desarrollar con él una relacion afectuosa, y que no pretende sustituir al progenitor ausente. Deje que el niño descubra sus propios tiempos y modos para aceptar a la nueva pareja.

• *Cuando son más*: Si su pareja tiene varios hijos, su tarea como madrastra o padrastro puede verse facilitada por un lado y complicada por otro. La ventaja de esta situación consiste en que los niños han aprendido desde muy pequeños a compartir su vida familiar con más personas que sus padres, y probablemente ya saben cuáles son sus límites dentro del grupo, además de cómo negociar lo que desean. Por lo demás, su progenitor no es su única fuente de afecto, lo que los libra de encerrarse con él en una relación exclusiva: disponen del cariño de sus hermanos. Los hijastros múltiples están habituados también a hacerse mutuamente compañía, y reclaman la atención de los adultos con mucha menor frecuencia que los hijos únicos.

Por otro lado, se corre el riesgo de que formen un bloque contra la nueva pareja de su madre o padre. En este caso, usted puede tener problemas: la superioridad numérica *ES* una ventaja considerable. Victoria, que mantiene una relación afectuosa con sus cuatro hijastros adolescentes, suele verse, sin embargo, en dificultades ante las coaliciones que se arman con frecuencia. "Cuando Vicente y yo, recién casados, compramos nuestra nueva casa, con cuatro dormitorios, organizamos una asamblea de familia para distribuir las habitaciones. Tanto mi marido como yo somos arquitectos, de modo que necesitamos un estudio para cuando traemos trabajo a casa. Esto implicaba que los cuatro muchachos deberían repartirse en dos dormitorios, y que no tendrían un cuarto de estudio para ellos solos. Los cuatro opusieron una firme resistencia, desde una coalisión asombrosamente fuerte y agresiva. Cuando intenté argumentar con ellos, me repusieron secamente: 'No te has casado con una persona, sino con cinco; tienes que atenerte a las consecuencias'. Estoy segura de que no se habrían expresado así si los hubiera enfrentado uno por uno, pero el grupo los hacía sentir envalentonados."

La experiencia de Victoria es aleccionadora: *en caso de conflicto con sus hijastros, trate de conversar con cada uno de ellos en privado. Si los enfrenta como grupo, tendrá problemas ante la superioridad numérica. Tenga en cuenta, además, que los seres humanos, ya sean niños o adultos, se comportan de forma diferente como individuos que como integrantes de un bloque.*

Las observaciones anteriores expresan tendencias generales detectadas en las historias relatadas por madrastras y padrastros, y en los estudios e investigaciones existentes sobre el tema. Como toda regla general, deben tomarse con precaución. Existen madrastras maduras para quienes la relación con sus hijastras adolescentes es una fuente de gratificaciones afectivas; algunos padrastros se sienten desconcertados ante los niños pequeños y manifiestan tener mejor compatibilidad con los hijastros mayores; otros cumplen gozosamente el papel de padres con respecto a los hijos de su pareja, y son reconocidos como tales. **Las relaciones dentro de las familias de nuevo matrimonio —al no estar los papeles tan firmemente establecidos como en las familias intactas— ofrecen la enorme ventaja de que cada individuo, cada grupo, puede armar sus propios modelos.**

IDEAS PARA COMPARTIR

- Las nuevas formaciones familiares poseen una estructura y una dinámica propias, diferentes de las familias intactas. Intentar una imitación de estas últimas, o tratar de entrar a toda costa en el molde de la familia instantáneamente feliz, lo único que hace es negar las propias particularidades y no contribuye a la solución de los conflictos del grupo.

- En las familias de nuevo matrimonio, las relaciones entre padres e hijos son anteriores a la relación entre los miembros de la pareja; progenitores y niños han tenido tiempo para reforzar sus vínculos, y comparten una historia propia. En algunos casos, los padres sienten que formar una nueva pareja es traicionar a sus hijos. Sin embargo, un vínculo marital cálido y sólido es fundamental para la cohesión y continuidad de la nueva familia. Una buena relación de pareja puede proteger a los niños de una temida *segunda* pérdida del grupo familiar, ayudarlos a reponerse de la primera brindándole un entorno afectuoso, y proporcionarles modelos positivos que más tarde podrá utilizar en sus propias relaciones de pareja. Para esto, resulta imprescindible que los adultos puedan reservarse su propio tiempo y espacio para estar solos, y que lo hagan respetar por los otros miembros de ia familia.

- Trate de elaborar con su pareja una lista de normas, límites, tareas escolares y domésticas, etc., que pueda ser equitativamente aplicada a los hijos de ambos, ya sean comunes o de anteriores uniones. Si hay hijos adolescentes en la casa, pueden participar en la construcción de este "código legal" casero, señalando necesidades y aportando ideas propias.

- Aunque su pareja posea más experiencia que usted en lo que se refiere a niños y/o adolescentes, será de suma utilidad leer juntos libros que traten sobre esta problemática, atender los programas de radio y televisión que tratan el tema, así como asistir a conferencias y cursos. Conversar con amigos o conocidos que hayan pasado por la experiencia de ser madrastras o padrastros puede aportar nuevas ideas y disminuir la ansiedad de la pareja, al comprobar que no están solos en medio de un campo minado.

- Sea tan flexible como le sea posible, y otórguese todo el tiempo necesario para elaborar sus relaciones dentro del nuevo grupo familiar. Haga caso omiso de las presiones sociales o de la familia extensa para que se convierta en un perfecto modelo de padre o madre instantáneo. Al fin y al cabo, habría que ver qué harían ELLOS en su lugar.

- Recuerde que en los inicios de la nueva formación familiar todos los integrantes del grupo se sienten extraños y desconcertados. Es muy probable que los sentimientos negativos de sus hijastros estén relacionados con la historia de su familia de origen, el proceso de divorcio por el que atravesaron, sus problemas de edad y de transición de una etapa a otra, y que no tengan que ver directamente con usted. Trate de no personalizar los conflictos, y de no sentirse un fracaso como madrastra o padrastro porque existan tensiones en el ambiente hogareño.

- Integrarse a una familia con adolescentes puede ser especialmente difícil. En esa etapa, los jovencitos se distancian de sus padres en cualquier tipo de familia, se rebelan ante consignas que antes aceptaban, poseen sus propios intereses, y probablemente no quieran participar en todas las actividades del grupo familiar. En estos casos, es aconsejable no insistir en compartir todos los momentos libres en familia.

- Durante el período posterior al divorcio, en las familias en que un progenitor vive solo con sus hijos, algunos adolescentes han adoptado el papel de jóvenes adultos. Por tanto, pueden hallar difícil ser tratados de nuevo como niños por la pareja del progenitor. Los padrastros pueden suavizar la situación no pretendiendo imponer su autoridad desde el principio y tratando de descubrir puntos de encuentro y compatibilidades con los hijastros.

- Los adolescentes acarrean consigo más "historia familiar" que los niños más pequeños, y por lo tanto aprecian ser incluidos en algunas de las negociaciones que conciernen a la vida de la familia de nuevo matrimonio. En el caso de que rehúsen hacerlo, no insista, pero hágales comprender que hay una puerta abierta para su participación cuando estén preparados para ello.

6

Los ingredientes de la convivencia

¿En qué se diferencia la vida cotidiana de las familias de nuevo matrimonio de la de las familias intactas? ¿Existen modelos que sirvan como orientación para los desconcertados padrastros y madrastras? ¿Cómo pueden éstos considerar a los hijastros, que tal vez no estaban previstos en su proyecto de vida? Las mujeres y los hombres que forman pareja con padres divorciados enfrentan problemas que desconocen las madres y padres biológicos en las familias intactas. En este capítulo se recorren algunos de los ingredientes particulares de las nuevas formaciones familiares: la ausencia de modelos para madrastras y padrastros, la presencia tácita del progenitor ausente, la multiplicidad de familias extensas, y las dudas que surgen en niños y adultos cuando dan prioridad a los vínculos de sangre sobre los adquiridos.

VACÍO DE MODELOS

No existen prototipos sobre el papel y el comportamiento esperado en un padrastro o madrastra, exceptuando los espejos negativos dados por los cuentos de hadas (las madrastras que odian a sus hijastros, los maltratan y buscan eliminarlos), o la literatura para adultos (los padrastros ultraseveros de la literatura del siglo XIX; o los padrastros violadores de las crónicas policiales). Ni la televisión, ni el cine, ni ninguno de los medios de comunicación habituales, muestran la cotidianeidad *real* de las familias de nuevo matrimonio. Parecería que existe una verdadera conspiración de silencio sobre estos grupos. Quizá se debe al hecho de que la estructura misma de las nuevas formaciones familiares es más variada y compleja que la de la familia nuclear intacta, y a que la sociedad actual aún no ha podido digerir completamente las consecuencias del divorcio. En todo caso, la nueva familia carece tanto de guías seguras como, en muchos casos, de consenso social.

Para los padres y madres biológicos, existen los modelos ancestrales, los roles y estereotipos asignados desde el principio de los tiempos, los preceptos religiosos, el Doctor Spock, la Doctora Françoise Dolto, una abundante bibliografía sobre "ser padres hoy", programas de televisión, vídeos educativos, reuniones escolares y, sobre todo, la simpatía y la colaboración de familiares y amigos. Pero la madre o el padre instantáneo no tiene a dónde acudir en busca de información y guía sobre su nuevo papel, ni posee modelos a los cuales adherir. Sólo tiene estereotipos para rechazar. Esto acarrea una considerable dosis de desorientación y desconcierto, no sólo a los padrastros y madrastras, sino a los otros miembros de la familia y una cantidad de personas que los rodean: amigos, maestros, condiscípulos de los niños, etc. En síntesis, *las madrastras y padrastros no saben cómo deben comportarse, los demás miembros de la familia no saben qué esperar de ellos, y la sociedad misma no tiene idea de sus expectativas al respecto.*

Algunos afortunados poseen ideas claras sobre el papel que quieren desempeñar en su nueva familia. Si sus decisiones e intereses coinciden con las expectativas de los otros miembros, podrán desarrollar una vida hogareña sin más conflictos que los habituales en cualquier familia. Pero la mayoría de los padrastros ensaya infructuosamente un papel tras otro, tratando de establecer un modelo que sea a la vez aceptable para la familia y para ellos mismos. En general, gastan mucho tiempo y energía en esta sucesión de ensayos y errores antes de encontrar —solos o con ayuda terapéutica— pautas efectivas de convivencia familiar.

En los países anglosajones —particularmente en Estados Unidos, Canadá y Gran Bretaña— se han desarrollado numerosas investigaciones sobre las familias de nuevo matrimonio y el papel de los padrastros. Estos estudios son mucho menos frecuentes en los países de habla hispana; tal vez esta carencia sea atribuible a que la legalización del divorcio —y por tanto de las familias de nuevo matrimonio— es relativamente reciente en América Latina y España. Entretanto, los padrastros disponen de algunos recursos: las terapias individuales, de pareja o de familia; los grupos de reflexión para divorciados; o la formación de grupos de discusión entre padrastros y madrastras, para comparar sus experiencias, reflexionar sobre ellas, encontrar apoyo mutuo y sugerencias sobre caminos a seguir.

EL "OTRO" PROGENITOR

Fuera de la casa —pero muy presente— existe al menos un padre o una madre biológicos, del mismo sexo que el padrastro o la madrastra. Aun cuando este progenitor haya muerto, su presencia (en la memoria de su esposo e hijos, en fotografías, en la historia familiar) puede hacer que el padrastro recién llegado se sienta tan forastero y extraño como la protagonista de *Rebeca*, la novela de Daphne Du Maurier filmada por Hitchcock. Cuando los ex cónyuges están vivos, ejercen un gran poder en la familia, a través de los hijos.

Las necesidades de coparentalidad —que se mencionaron en los capítulos anteriores— necesitan de la cooperación de todos los adultos implicados, tanto de los padres como de los padrastros. Sin embargo, sucede con frecuencia que cuando uno de los ex cónyuges vuelve a formar pareja, el otro disminuya su colaboración, o trate de sabotear a la nueva pareja utilizando dos armas fundamentales: los hijos y/o el dinero. También suele ocurrir que un padre tema ser desplazado por el padrastro en el afecto de los hijos. En consecuencia, las luchas por el poder familiar suelen ser frecuentes y, muchas veces, sangrientas.

La historia de Tomás, el bodeguero sevillano mencionado en el Capítulo 4, ilustra este punto. Si Tomás hubiera residido en España hasta los 60 años, se habría hecho acreedor a una jubilación española, lo que habría significado un considerable aporte a las finanzas de la familia. Por lo tanto, propuso a Estefanía y las mellizas instalarse en Sevilla o en Madrid durante cinco años. Las tres acogieron la idea con entusiasmo: Estefanía podría estar cerca de su hija mayor y de sus nietos, y las mellizas recibirían una sólida educación, al tiempo que cumplirían el sueño de conocer Europa. La realización del proyecto requería de la autorización legal del padre de las adolescentes. Nadie dudó de que la otorgaría: había vuelto a casarse, veía a sus hijas cada vez más raramente, su relación con ellas era tormentosa, y no les pagaba un centavo de lo convenido por alimentos. Sin embargo, el padre rechazó de plano la idea de que las niñas viajaran al extranjero, negó su autorización, y amenazó a Estefanía con denunciarla como secuestradora si se atrevía a sacarlas del país. Ante esta actitud, la familia renunció tanto al proyecto de radicación fuera del país como a una mayor holgura económica... y el padre biológico continuó sin mantener a sus hijas. En situaciones como ésta, el lugar de indefensión y falta de control del funcionamiento familiar en que se encuentra el padrastro, es causa de angustia y conflictos.

Con frecuencia se establecen situaciones competitivas entre los padrastros y los "ex" del mismo sexo por el afecto de los niños. Estas competencias tienden a ser más feroces entre la madrastra y la madre biológica que entre el padre y el padrastro. Elizabeth Einstein, psicoterapeuta estadounidense, y a la vez hijastra, madre y madrastra, lo atribuye a que, para muchas mujeres, la maternidad ha sido una experiencia más vital que lo que es la paternidad para los hombres. Salvo en los casos en que las mujeres no desean hacerse cargo de sus hijos por razones laborales u otras, en general cuando la madre pierde la custodia, su orgullo y su identidad sufren gravemente. De todas formas, es interesante señalar que cada vez está mejor aceptado socialmente que una mujer no conviva con sus hijos: un Informe del Cambio Sociocultural de IPSA (empresa internacional de estudios de mercado y opinión pública) de 1994, señala que en la clase media argentina, el 14 % de la gente está de acuerdo con que una mujer renuncie a sus hijos en nombre de su realización personal. En 1992, el consenso era sólo del 8 %. La tendencia a admitir que las madres no se hagan cargo de los niños ha crecido un 75 % en sólo dos años.

Sin embargo, por paradójico que parezca, **el padrastro o madrastra puede resultar beneficiado si su pareja mantiene una buena relación con su ex cónyuge**: por una parte, un vínculo amistoso facilita considerablemente las negociaciones con respecto a los hijos; por otra parte, si no existe tirantez entre los progenitores, los niños no se sentirán inmersos en un problema de "dobles lealtades" y asumirán más fácilmente a las nuevas parejas de éstos. Si los hijos de una pareja separada perciben que el equipo conformado por su madre y su padre se mantiene como tal a pesar del divorcio conyugal, les será posible relacionarse con ellos más fácilmente, e integrarse mejor en las nuevas familias que ellos formen.

En lo que concierne a las relaciones con el o la ex de su pareja, una estrategia deseable consistiría en abstenerse de comentarios mordaces sobre ellos y buscar, conjuntamente con su cónyuge, los caminos hacia acuerdos no conflictivos. Si lo logra, se reforzará el "equipo" formado por la nueva pareja y evitará a sus hijastros la penosa obligación de tomar partido por uno u otro progenitor.

En todo caso, este proceso no depende solamente de la buena voluntad de la madrastra o el padrastro. Si el cónyuge y su anterior pareja no han terminado de resolver la separación, los hijos no aceptarán completamente la nueva unión. Por ejemplo, si la madre no ha dado vuelta la hoja sobre su ex marido, si no ha asumido el divorcio y reconstruido una vida propia —y eventualmente, formado una nueva pareja a su vez—, es muy probable que los hijos se constituyan en paladines de la madre y no acepten a la nueva esposa del progenitor. La madre "no les da permiso" para eso, y algunas veces —debido a antiguas lealtades con su ex cónyuge—, el propio padre avala esta actitud.

LOS HIJASTROS NO SON OPTATIVOS

Los vínculos en las familias de nuevo matrimonio no se eligen: los miembros de la pareja se escogieron el uno al otro libremente, pero no pueden decidir si aceptan o rechazan a los hijos del otro. Estos vienen incluidos en el "paquete" que uno adquiere, lo desee o no, cuando forma pareja con el progenitor. "Yo nunca sentí deseos de tener hijos. Pero cuando me enamoré de Pedro, tuve que aceptar que sus tres hijas pequeñas y su hijo adolescente formaran parte de mi vida. Los chicos me resultaban simpáticos, no tenía nada personal contra ellos, pero pasar de vivir sola a compartir la casa con un marido, cuatro hijos, una mujer de servicio, un perro y una tortuga me resultaba agotador en los primeros tiempos. Me sentía abrumada por la multitud", cuenta Beatriz, una empleada de comercio de 38 años.

Otras quejas de madrastras y padrastros se refieren a la falta de intimidad con su pareja, a la necesidad de considerar a los niños —y aun a los ex esposos— cada vez que se hacen planes de viajes o cambios laborales que impliquen mudanzas de ciudad o de país, y al cansancio que acarrea la adaptación a una vida más poblada de lo que se esperaba.

Por su parte, los hijastros tampoco han elegido a sus padrastros ni a sus eventuales hermanastros, y necesitan tiempo para adaptarse a la situación y formar vínculos afectivos con ellos. Un reclamo frecuente es que sus hermanastros no son el tipo de personas que ellos elegirían como amigos, o que las edades y sexos de los hijos de la pareja del progenitor son disímiles de los propios. Estos problemas, así como las rivalidades, celos y otros dramas cotidianos, también existen entre hermanos, pero en esos casos forman una parte casi sobreentendida de la relación fraternal; el vínculo familiar es lo suficientemente fuerte como para absorberlos y compensarlos. Si los problemas entre hermanastros superan el nivel de peleas fraternales y perturban la convivencia familiar, formando equipos rivales entre los miembros de las dos familias, los adultos deberán tomar cartas en el asunto, demostrando explícitamente que quieren y cuidan tanto a hijos como a hijastros.

En estos casos, la tensa situación familiar puede amortiguarse si se tienen en cuenta los siguientes factores:

a- Los sentimientos de cada miembro de la familia tienen valor y cuentan, sin importar de quién es hijo, o cuál es su edad y su sexo.

b- Los sentimientos no deben juzgarse: no están bien ni mal, no son razonables o irracionales, válidos o no.

c- Tanto los adultos como los hijos, en una familia de nuevo matrimonio, llegan provistos de una historia familiar propia. De pronto, estas personas se encuentran compartiendo vínculos familiares, casa, tiempo libre. Los hábitos que antes se daban por sobreentendidos, ahora se cuestionan. Para lograr una nueva cohesión familiar, es necesario construir costumbres propias de cada grupo, tradiciones familiares, una identidad como familia, todo lo cual lleva tiempo, paciencia e imaginación.

LA PREFERENCIA BIOLÓGICA

Una cuestión que interfiere con frecuencia la cohesión y el desarrollo de las familias de nuevo matrimonio es la preferencia por los vínculos biológicos antes que por los políticos. Esta preferencia —cargada de sentimientos de culpa— se evidencia en frases como: "Sé que no debería, pero quiero a mis hijos mucho más que a mis hijastros; me siento tremendamente culpable, pero no puedo evitarlo." También aparece en las fantasías de los hijastros sobre la re-unión de los padres biológicos, aunque ambos hayan formado nueva pareja. Esta inclinación recurrente es atribuible a la falta de lineamientos claros para los roles de madrastra y padrastro, así como a realidades estructurales. Otras explicaciones plausibles señalan que los vínculos biológicos son los más duraderos: contrariamente a los lazos por matrimonio, que pueden ser disueltos, los de sangre son "uniones sagradas", permanentes e irrenunciables. Existe también el hecho de que un progenitor que ha visto nacer a su hijo, le ha cambiado los pañales, se ha levantado ante sus llantos nocturnos, y —si se trata de la madre— ha vivido el embarazo y lo ha amamantado, experimenta hacia el niño sentimientos diferentes que el adulto que lo conoce cuando ya está crecido.

Si un progenitor combina los papeles simultáneos de padre y padrastro, suele sentirse angustiado por la discrepancia entre los sentimientos que le inspiran sus hijos biológicos y sus hijastros. Algunos se sienten presionados por sus cónyuges o por su grupo social para amar del mismo modo a todos los niños y/o adolescentes de la casa. Otros tratan de establecer relaciones con características propias con sus hijastros.

Sandra, una dentista de 37 años, cuenta su experiencia: "Elisa, la hija de catorce años de mi marido, a quien yo había criado junto con mis propios hijos durante los últimos cinco años, me reprochó un día que yo quisiera a mis niños más que a ella, porque ella no era mi hija 'de veras'. Comprendí que asegurarle una igualdad absoluta de cariño no serviría, porque realmente no era verdad. Así que la invité a pasear por un parque y le expliqué: Elisa, yo viví dos embarazos difíciles para tener a mis niños. Tuve que hacer reposo durante siete meses y cuidarme mucho. Durante todo ese tiempo me imaginaba cómo serían mis hijitos, qué nombre les pondría, cuándo vería sus primeras sonrisas. Nacieron, y di el pecho a cada uno de ellos, les canté canciones de cuna, me pasé noches enteras despierta cuando lloraban. Años después, te conocí a ti. Al principio no fue fácil, ¿te acuerdas? Nos observábamos, nos tratábamos con cuidado, a veces nos peleábamos. Después, empezamos a conocernos y querernos. Me di cuenta de que esa flacucha rubiecita era inteligente, divertida y afectuosa, y de que ya no imaginaba la vida sin ella. De modo que no siento lo mismo por mis hijos que por ti, es cierto: a ellos los quiero porque son mis hijos; *a ti te quiero porque eres tú.*"

Los padrastros pueden sentirse más cómodos si aceptan las diferencias entre los vínculos biológicos y los políticos, y toman conciencia de que tienen derecho a establecer sus propios límites y fronteras afectivos con sus hijastros. Los lazos con los hijastros no son los mismos que se tienen con los hijos: pueden ser construidos como vínculos con características propias, ricos, creativos y afectuosos.

La preferencia biológica también aparece en los hijastros: no se puede pretender que quieran a la madrastra o al padrastro como a sus padres biológicos, aunque a veces sea posible. Para los hijos son válidos los criterios de autonomía de decisión en lo que concierne al grado de cercanía e intimidad en la relación con la pareja del progenitor. La libertad de elección afectiva posibilita la formación de vínculos positivos entre padrastros e hijastros, que con el tiempo pueden llenar los vacíos dejados por progenitores ausentes, y ayudar a adultos y niños a aumentar su autoestima.

FAMILIAS MULTIPLICADAS

En las familias intactas, existen dos juegos de abuelos, tíos, primos, etc. En las de nuevo matrimonio, la situación es más confusa: al menos para uno de los cónyuges, la familia de su "ex" es también su ex familia política, de la cual no está completamente desprendido a causa de sus hijos (¿puede pedírsele a un niño que se divorcie de sus abuelos y tíos?). Por otra parte, tiene ahora una nueva familia política a la que adaptarse. Para algunos de los hijos, entran en escena "abuelastros" y "tiastros" desconocidos; si los dos progenitores vuelven a casarse, la familia ampliada se compondrá de ocho subsistemas familiares diferentes.

A veces, los padres de uno de los miembros de la pareja no se sienten muy dispuestos a aceptar un segundo cónyuge con hijos, ni a convertirse súbitamente en abuelos de estos últimos. En estas circunstancias, las coaliciones, alianzas y exclusiones entre distintos miembros de la familia pueden volverse destructivas para el frágil grupo familiar.

"Estoy convencido de que mi relación con Jorge, mi hijastro, habría podido ser mejor sin la intervención de mis padres ni los de mi mujer", opina Ladislao. "Por un lado, los abuelos maternos lo consentían exageradamente, le dejaban hacer todo lo que quería, y saboteaban todos mis intentos de imponer un poco de disciplina. Por otro, mis padres no aprobaban mi segundo casamiento, y nunca aceptaron a Jorge como nieto, a pesar de mis esfuerzos en ese sentido. Cuando Alicia y yo tuvimos a nuestros dos hijos, mis padres dejaron bien claro que "sus" nietos eran ellos, no su medio hermanito. El trato diferencial que les daban contribuyó mucho a los problemas de celos entre los niños... y a más de una pelea con mi mujer".

En estos casos, se puede tratar de conversar claramente con las familias extensas, sin acusar ni culpabilizar, pero haciéndoles tomar conciencia de que las alianzas y rechazos están dañando la nueva formación familiar. En general, abuelos y tíos son sensibles a los pedidos de ayuda y solidaridad.

En otros casos, sin embargo, las familias extensas son una ayuda inapreciable para la consolidación de la nueva formación familiar. Aunque la aceptación de diferentes grupos de parientes implica adaptaciones adicionales para los miembros de la familia de nuevo matrimonio, la suma de familias extendidas puede resultar una experiencia sumamente enriquecedora. Magdalena encontró un sólido apoyo en sus padres, quienes muchas veces cuidaron a los hijos de Andrés para permitir a la pareja pasar una noche o un fin de semana de intimidad. Sus hermanos invitaron a los niños a participar en las actividades de sus propios hijos, proveyendo así una nueva red de primos. Ambos niños se adaptaron rápidamente a esta tercera familia extensa, donde encontraron ventajas inesperadas: "Ahora tengo más parientes, más fiestas, más regalos de cumpleaños y de Navidad que antes; además, la mamá de Magdalena cocina mucho mejor que mis otras abuelas", se regocija María Sol, la hija menor de Andrés. Por su parte, su padre reconoce que la cálida bienvenida brindada por la familia de su segunda mujer a él y sus hijos contribuyó a la cohesión del nuevo grupo familiar.

A veces, la vida de los nuevos matrimonios se asemeja a un complejo *cocktail* de elementos disímiles. Tal vez usted no pueda cambiar los ingredientes, pero tiene la posibilidad de combinarlos de la forma que resulte más gratificante para padres, padrastros e hijos.

IDEAS PARA COMPARTIR

- Si usted es la madrastra o el padrastro, recuerde que su papel no consiste en remplazar a la madre o al padre, a menos que éstos estén muertos. Intentarlo sería contraproducente y peligroso. Construya, con tiempo y delicadeza, su vínculo único, propio, con sus hijastros.

- El cariño entre padres, hijos y hermanos no surge sólo de los lazos de sangre. En el nuevo matrimonio, como en la adopción, es posible desarrollar vínculos afectuosos entre adultos y niños, siempre que no se pretenda forzarlos.

- Acepte que su pareja conserve una buena relación de co-parentalidad con el "otro" progenitor de sus hijos, y ayúdelo para que así ocurra. Sin embargo, sea cuidadoso, para que la co-parentalidad no se emplee como excusa para continuar con una relación empastada, en la que los hijos comunes sean utilizados para no terminar de romper el vínculo marital entre ambos ex cónyuges.

• Trate de conservar expectativas realistas: usted no es el personaje mesiánico destinado a salvar a su nueva familia del caos e imponerle un orden salvador.

• Los hijos de padres que se casan nuevamente enfrentan el desafío de entender y coordinar varias figuras parentales que, con frecuencia, difieren entre sí en lo que se refiere a valores y estilos de vida. Trate de entenderlos y ayudarlos en esta tarea.

• No se sienta obligado/a a preguntar a sus hijastros sobre su "otro" progenitor. Habitualmente, los niños preservan ambos mundos —el hogar de su madre y el de su padre— como cotos cerrados, y les disgusta llevar información de uno a otro. Si a usted tampoco le agrada oír hablar de la ex pareja de su actual cónyuge, no hay razón para que fuerce la situación en aras de sentirse moderno y desprejuiciado, o porque considera que *es lo que debe hacer*.

• Trate de obtener la colaboración de su familia extensa en la integración de sus hijastros. Ofrecerles nuevos juegos de abuelos, tíos y primos suele facilitar la construcción de lazos de familia entre usted y los hijos de su pareja.

7

Las nuevas reglas del juego

Cuando se forma una familia de nuevo matrimonio, todos sus miembros —hasta el padrastro o la madrastra que llegan desde una confortable soltería— han tenido experiencias familiares previas y están habituados a determinadas reglas de coexistencia, costumbres, y ritos. La convivencia cotidiana exige la instauración de nuevas reglas de juego, aceptadas por todos los integrantes del grupo. En este capítulo se recorren las estrategias posibles para implementar estas "Tablas de la Ley" domésticas, y se tocan puntos sensibles, típicos de estas formaciones familiares: la pertenencia de los niños a dos hogares, la planificación del presupuesto —que debe considerar a dos o más grupos familiares— y las alianzas y exclusiones que se forman entre padres, hijos, madrastras y padrastros, y los "ex". Por último, se concede la palabra a los hijastros: ellos tienen muchas sugerencias que aportar a la reorganización de la familia.

Con frecuencia, los progenitores, padrastros e hijastros que componen una nueva formación familiar —demasiado preocupados por parecerse a una familia "normal"— tienden a olvidar que muchos de los problemas que enfrentan son comunes en cualquier familia, sin importar cuántas veces se hayan casado los padres. Incomprensión entre los esposos, rivalidad entre hermanos, dificultad de los padres para imponer su autoridad, manipulaciones o juegos de poder por parte de los hijos, coaliciones entre algunos miembros del grupo con exclusión de otros, no son dificultades exclusivas de los nuevos matrimonios. Algunos conflictos cotidianos se exageran o dramatizan en las nuevas formaciones familiares, debido a la complejidad misma de la estructura del grupo. Sin embargo, además de los conflictos habituales en cualquier familia, las de nuevo matrimonio deben hacer frente a muchos otros que surgen debido a características propias y exclusivas de su condición.

TABLAS DE LA LEY CASERAS

La familia de nuevo matrimonio exige el establecimiento de nuevas reglas, límites y fronteras. Los padres biológicos han criado y educado a sus hijos desde el nacimiento con sus propias reglas y normas. Su autoridad sobre los niños está sobreentendida. Los padrastros, en cambio, se ven obligados a imponer su propio sistema de normas desde una posición de foráneos, verdaderamente difícil. Con frecuencia, ellos mismos no están seguros de sus derechos para imponer autoridad; otras veces, sus tentativas son desautorizadas por los progenitores, que encuentran demasiado duros los límites que se quieren imponer a sus retoños.

Cuando Andrés y Magdalena aún no convivían, alquilaron una casa en la playa para sus vacaciones, con el proyecto de pasar una quincena solos, y las dos semanas siguientes con los hijos de Andrés. A la llegada de éstos, Magdalena les pidió que colaboraran con algunas tareas domésticas sencillas, como hacer sus camas, poner la mesa, etc.; los niños aceptaron, pero en la práctica las camas vivían deshechas, había que perseguirlos para que pusieran los platos, y cada comida se volvió una batalla campal. Cuando Magdalena les recordó las reglas de participación en las labores caseras, los dos niños replicaron: "La casa de papá es nuestra casa, y en nuestra casa hacemos lo que queremos."

Magdalena cuenta: ."Me quedé desconcertada. Andrés enmudeció, puso cara de sufrimiento, y estaba claro que no iba a intervenir, salvo para dirigirme miradas suplicantes. Por otro lado, no podía decirles a los niños que ésa no era su casa ni que estaban de visita. Opté por levantarme e irme de la casa todo el día, muy enfadada. Me sentía extraña y excluida: habíamos alquilado esa casita entre los dos, como parte de un proyecto común que incluía a los niños. Ahora, sentía que en realidad la casa era de Andrés y sus hijos, y que yo era una extraña de visita, sin ningún derecho propio."

En casos como éste, es necesario explicar a los hijos que, **si bien es cierto que la casa del progenitor es también su casa, ahora no es sólo la casa del padre o de la madre: es la del padre y la madrastra (o de la madre y del padrastro), y por lo tanto, en lo que se refiere a cuestiones domésticas, deben acatar la autoridad de los dos adultos.**

En las familias de nuevo matrimonio aparece una **disociación instrumental** que no existe en las familias intactas: se refiere a la demarcación de los "territorios de autoridad", que tienen que ver con el hogar en el que residen los hijos, así como con el hogar del progenitor al que visitan. Los hijos, como tales, responden fundamentalmente a la autoridad de sus padres biológicos. Éstos cumplen su función normativa dictando y haciendo cumplir leyes de disciplina, normas de comportamiento, estableciendo límites, etc. Sin embargo, **cuando están en la casa de su progenitor y su actual cónyuge, o simplemente en compañía de ambos, los hijos deben responder también a la autoridad del padrastro o de la madrastra. Este tiene jerarquía y autoridad sobre su casa y su familia —donde están sus hijastros— y corresponde que ésta sea acatada.**

Por otro lado, está aceptado, aun por la ley, que para que las madrastras y padrastros puedan cumplir sus deberes de cuidado y protección de sus hijastros, deben ejercer cierta autoridad sobre ellos. En efecto, ¿cómo pueden hacerse cumplir las reglas domésticas, de conducta, estudio, higiene y otras, sino mediante el ejercicio de una autoridad sin autoritarismo?

El papel del progenitor es sin embargo fundamental en

lo que se refiere al establecimiento y cumplimiento de las normas de conducta, y en la aceptación del padrastro, por los hijos, como figura de autoridad. Si el padre o la madre se sienten confusos al respecto, o si creen que la lealtad a sus hijos implica negar la participación de su nueva pareja como figura coparental, surgen conflictos de convivencia.

"Cuando me casé con Alicia, ella llevaba un tiempo viviendo sola con Jorge, su hijo, entonces de cinco años", recuerda Ladislao. "Jorge era un niñito criado sin ningún tipo de límites; su madre y sus abuelos maternos, que vivían en la misma calle, le permitían hacer todo lo que quisiera, para compensarlo por el divorcio. En cuanto al padre, lo veía solamente un fin de semana de cada dos, y por supuesto no intentaba imponerle ningún tipo de disciplina por tan poco tiempo. Dado que necesitábamos establecer algunos acuerdos mínimos para convivir, traté de hacer cumplir algunas reglas, como que Jorge cenara con nosotros en la mesa del comedor, y no corriendo por toda la casa, que comiera alimentos nutritivos —en vez de una dieta compuesta exclusivamente por hamburguesas y gaseosas— o que se acostara a una hora fija. Fue inútil: cada vez que yo le hacía algún tipo de observación, él tenía un berrinche. Alicia solía entrar y decir: 'Huy, vamos a ver por qué se pelean ahora. Jorgito, cuéntame qué les pasó'. Yo me sentía enojado y excluido: mi mujer me ponía a la par de su hijo, me trataba como si los dos fuéramos chiquillos que se habían peleado. Hoy, ya separado de Alicia, he comprendido que Jorge es un muchacho de 'buena pasta', afectuoso y creativo. Después del divorcio, nos volvimos a ver y desarrollamos una relación amistosa. Ambos reconocimos que habríamos podido tener una relación mucho mejor, cuando él era pequeño, si su madre me hubiera dado el lugar que me correspondía."

Numerosos padres, perseguidos por sus sentimientos de culpabilidad frente a los hijos, renuncian o menguan su autoridad hogareña, y el hijo se constituye en amo y señor de la casa. Estas actitudes no sólo son contraproducentes, sino patógenas. Es necesario ser firme y persistente en la educación de los hijos; no basta con decirles un par de veces que tienen que hacer los deberes o lavarse los dientes: hay que repetirlo todos los días, cuantas veces sea necesario, con infinita paciencia, hasta que el mensaje haya sido internalizado. Muchos padres dejan de lado su labor normativa porque no quieren aparecer como ogros ante sus hijos; más tarde, cuando los chicos se transforman en adolescentes, siguen conservando esa actitud, para parecer "modernos", más amigos de sus hijos que padres. Pero la mayoría de los terapeutas está de acuerdo en decir que si un niño gobierna en una casa, es porque está subido a los hombros de un adulto. El trastocamiento de las jerarquías domésticas que se produce cuando los padres no cumplen su función de educar y establecer límites a sus hijos, termina por producir en ellos síntomas que varían según a la edad: desde diarreas o bajo rendimiento escolar cuando son pequeños, hasta adicciones cuando son mayores.

Desautorizar al nuevo cónyuge delante de los hijos puede producir efectos similares. *Si una madrastra o un padrastro intenta imponer en la casa alguna norma nueva, y el progenitor de los niños hace una alianza con éstos para desobedecerla, los resultados son negativos por partida doble: los hijos acaban por no acatar ninguna ley, puesto que si un adulto instaura una regla y el otro manifiesta que no es necesario hacerle caso, significa que toda ley puede eludirse.* Por lo demás, ante la fisura existente entre los dos adultos —manifestada por esa contradicción—, los niños pueden desarrollar también síntomas patológicos, más o menos graves, de acuerdo a cada caso particular. Las fisuras que se crean entre los adultos son grietas por las que los niños se caen.

Desde el primer día de la formación de una familia de nuevo matrimonio, sus miembros afrontan la tarea de definir los límites de comportamiento y de establecer nuevas normas de disciplina. A medida que niños y adolescentes ponen a prueba estos límites y la firmeza de progenitores y padrastros para mantenerlos, luchan contra las nuevas reglas y tratan de dividir para reinar, el grupo familiar puede transformarse en un caos permanente. Como no ha existido un tiempo de conocimiento mutuo, cuidados a los bebés, y formación de vínculos afectivos con los hijastros, los padrastros que —pletóricos de excelentes intenciones— tratan de imponer disciplina desde un primer momento, se topan frecuentemente con graves dificultades. En general, el hijastro no tiene ningún deseo de complacer a esta nueva persona con la cual no le une aún un vínculo afectivo. Por lo tanto, el padrastro, quizá sienta que la fuerza es la única manera de ser obedecido. Pero, como confirmará cualquier libro actual sobre psicología infantil, el adulto excesivamente rígido se quedará muy pronto sin poder y terminará sintiéndose impotente, frustrado, y sumamente furioso.

Si el padrastro —o la madrastra— pretende imponer nuevas reglas disciplinarias ANTES de construir una relación de amistad con sus hijastros, se está condenado a una serie de problemas. Los conflictos estallarán no sólo con los niños y/o adolescentes, sino también con su pareja, quien sintiendo la frustración y el enfado de su cónyuge, correrá a defender a sus retoños, o se abstendrá de toda intervención, lo que puede resultar igualmente negativo. La relación amistosa con los hijastros se crea de múltiples maneras: escuchándolos, apoyándolos en sus conflictos, compartiendo con ellos actividades gratificantes, ayudándolos con sus tareas escolares... Existen muchos libros que le ayudarán en esta tarea (algunos figuran en la Bibliografía).

En los casos en que los ex esposos mantengan entre sí un vínculo cordial, es conveniente que se constituya una mínima alianza funcional entre el ex cónyuge y el nuevo, con el fin de impedir las coaliciones posibles de los hijos con alguno de ellos, en contra del otro. Para que esto se cumpla, es necesaria la cooperación activa del o la "ex" del cónyuge, lo que no siempre es fácil de conseguir. Pero no es un imposible.

Gustavo, un abogado de 43 años, y Angeles, su esposa, decidieron divorciarse amistosamente después de 13 años de matrimonio. Consideraban que su relación estaba agotada, y ambos reclamaban el derecho de encontrar compañeros más satisfactorios. Tenían dos hijos: Carlota, entonces de once años, e Iván, de nueve. Tiempo después, Angeles se casó con Guido, un periodista que residía en otra ciudad, y ambos decidieron adoptar una niña. Los ex esposos convinieron en que los niños vivirían con su madre y su padrastro, y que el padre los visitaría tan frecuentemente como le fuera posible. Gustavo no tardó en casarse con Paulina, con quien tuvo dos niñas. Este complejo grupo funciona como una sola familia binuclear: los cinco niños viajan de una casa a la otra —por ejemplo, algunas veces las dos niñas de Gustavo y Paulina pasan parte de las vacaciones con sus hermanos mayores, en casa de Angeles y Guido—, y reconocen a los cuatro adultos como figuras parentales. Sin embargo, no existen confusiones: todos establecen diferencias claras entre los papeles de padres y padrastros. Cuando hay que tomar decisiones sobre cuestiones importantes —como darle o no permiso a Carola, ahora de dieciocho años, para que conviva con su novio; o autorizar y financiar el viaje de Iván a París—, las dos parejas participan de la discusión. Los niños han crecido libres de vaivenes, y se sienten felices de la estructura de clan que les ha tocado en suerte. Y los adultos pueden compartir responsabilidades, negociar los desacuerdos mucho más fácilmente, y sentirse aliviados ante el hecho de que los hijos cuenten siempre con alguien.

Este caso, sin embargo, es poco frecuente. En la mayoría de los casos, los adultos pueden considerarse felices si logran disminuir la tirantez entre los actuales esposos y los "ex", y llegan a acordar conjuntamente los criterios básicos para la crianza y educación de los niños.

En todas las familias, resulta importante el cumplimiento de las funciones nutricias y normativas para que los niños se transformen en adultos independientes y capaces de vivir en una sociedad cambiante. En las familias de nuevo matrimonio, sin embargo, resulta muy exigente y complicado cumplir con ambos papeles desde las primeras etapas. Incluso en los casos en que el progenitor y su nueva pareja se ponen de acuerdo sobre normas y límites, y forman un frente unido, los estudios estadounidenses indican que se necesita un mínimo de dieciocho meses a dos años para que la madrastra o el padrastro pueda cumplir un papel de "coadministración" de los hijastros con el progenitor. Ello se debe a que generalmente es el tiempo que se tarda en construir una relación amistosa o afectuosa con los hijastros. Sólo cuando éstos desean complacer a sus padrastros, cuando han creado relaciones de cariño con ellos, pueden aceptar su rol disciplinario.

CON UN PIE EN CADA CASA

Los hijastros pertenecen inevitablemente a dos núcleos familiares. La circulación entre los hogares de los dos progenitores puede suscitar en los niños verdaderos choques culturales o, al menos, sentimientos de incomodidad y ambigüedad que se transmiten a la familia. Cuando pasan de una casa a la otra, no sólo cambian de barrio, comodidades, hermanos y figuras parentales: también cambian los códigos y las reglas de comportamiento que rigen la vida de las dos familias.

"Cuando los hijos de Antonio vinieron a vivir con nosotros, cada domingo a la noche se convertía en una crisis doméstica. Durante la semana vivían en nuestra casa, pero de viernes a la noche a domingo a la tarde estaban con la madre y los abuelos maternos, en una casa donde las normas de conducta —sobre todo las que se referían a la higiene personal y hogareña— eran completamente diferentes de las nuestras", relata Lucía, la ginecóloga casada con el historiador, mencionados en el Capítulo 2. "A su regreso, yo los encontraba tremendamente sucios y desordenados, y me costaba mucho tratar de mantener un equilibrio entre mi necesidad de mantener una casa mínimamente pulcra, tener tiempo para dedicarle al bebé, y mis intenciones —que me repetía una y otra vez todos los domingos— de evitar los conflictos. Además, no podía acostumbrarme a su hostilidad cuando regresaban, a su estilo de no saludar o de no responder cuando se les hablaba, de pelearse entre ellos o de proferir groseros insultos por cualquier razón. Mi marido y yo tratamos de ignorar la influencia de la casa materna, y de tratarlos como siempre, pero no resultó. Después procuramos hablar abiertamente con los niños: les explicamos que en casa de la mamá podían no participar en los trabajos de la casa, o dejar de bañarse, pero que cuando volvían a casa, tenían que acatar nuestras normas. Al principio tuvieron berrinches, pero después aceptaron la idea de que en diferentes casas había distintas leyes."

Una situación ideal sería que los adultos de ambos hogares se pusieran de acuerdo para fijar normas similares, a fin de que los niños no se sintieran desconcertados. Si esto no fuera posible, sería conveniente explicarles a los hijos e hijastros que es natural que cada hogar tenga diferentes reglas de comportamiento y convivencia; puede ilustrarse el argumento diciéndoles que, así como los abuelos —o los tíos y primos— tienen distintas costumbres, y dado que ven distintos comportamientos en casa de sus amiguitos, las reglas en casa de su padre son diferentes de las de su madre, pero que deben obedecer las normas de la casa en que están.

Algunas sugerencias útiles para madrastras y padrastros en este caso son las siguientes:

— Absténgase de tomar el apego de los niños al "otro" progenitor, sus hábitos y su casa como un insulto personal hacia usted. Trate de entender que aun las idealizaciones que los niños hacen del progenitor ausente son normales y atendibles en el contexto del divorcio y de la formación de una nueva familia.

— No exprese sus juicios desfavorables hacia el ex de su pareja, para no estimular una actitud defensiva en sus hijastros.

— Trate de ayudar a los miembros de la familia a que acepten y toleren las diferencias en los sentimientos y percepciones de cada uno con los otros.

LA ECONOMÍA DIVIDIDA

Si en las familias intactas los conflictos económicos suelen causar serios problemas, en las de nuevo matrimonio se complican con factores emocionales previsibles, pero no por ello mejor manejables. Mientras el marido paga alimentos a los hijos de su matrimonio previo, la esposa los recibe de su anterior marido. Estas sumas no siempre son equivalentes, lo que provoca desequilibrios en el presupuesto familiar. Un ex marido paga irregularmente la suma que debe aportar para mantener a sus hijos, o directamente deja de pagarla, con lo que su parte en la manutención de los niños recae sobre el padrastro. O el padre, con quien viven los niños, no recibe un centavo de aporte de la madre biológica, de modo que la madrastra tiene que destinar buena parte de sus ingresos para mantener la casa o pagar la educación y salud de sus hijastros.

Por lo demás, los pagos de alimentos determinados por los tribunales suelen permanecer constantes aunque la economía familiar varíe; de este modo, si los ingresos de los cónyuges disminuyen, la carga económica implicada por la "otra familia" aumenta proporcionalmente, y la familia de nuevo matrimonio se siente exprimida. Por el contrario, si los ingresos familiares se incrementan, existe el temor de que la "ex" inicie acciones legales para obtener un aumento en la suma que recibe. Estas situaciones inciden peligrosamente en los proyectos personales.

"En el momento de casarme con Antonio, yo ya ganaba más que él; pero como él tenía que mantener a sus hijos, todo el peso de la economía doméstica recayó en mí. Me pasaba el día corriendo del hospital al consultorio, y además empecé a dar clases en la facultad para incrementar un poco los ingresos. Tuve que renunciar a vacaciones, mejoras en la casa, cursos de posgrado. Durante los primeros años de nuestro matrimonio, vivía agotada, y cuando tenía tiempo para pensar experimentaba mucho rencor hacia la primera familia de mi marido: sentía que, en el fondo, trabajaba para mantenerlos", relata Lucía.

"Cuando mi pareja cambió de trabajo y sus ingresos se incrementaron en casi el 80 %, nos pusimos de acuerdo en que yo dejaría mi empleo y retomaría mi carrera universitaria, abandonada hacía ocho años y que tenía muchos deseos de terminar", cuenta Esther, una empleada de comercio de 32 años. "Sin embargo, su ex mujer obtuvo un aumento proporcional en la cuota de alimentos, de modo que todo mi proyecto se frustró. Durante mucho tiempo, nuestra relación se agrió por esta causa."

El dinero suele transformarse en un arma poderosa en la guerra entre los ex esposos. Al igual que los hijos, es un lazo que mantiene el vínculo y que echa más combustible al fuego de la culpa, la ira y el rechazo mutuos. Por consiguiente, los acuerdos económicos entre las parejas de nuevo matrimonio suelen ser infinitamente variados: algunos cónyuges mantienen cuentas separadas, y cada semana depositan en un sobre lo necesario para los gastos del hogar, incluida la manutención de hijos e hijastros. En otros casos, uno de los cónyuges, sea padre o padrastro, asume la totalidad de las finanzas familiares. En otros, el marido se hace cargo de los gastos de sus hijos, y la mujer de los de los suyos. Para algunas parejas, esta fórmula es la más eficaz, mientras que para otras no funciona tan bien, dado que tiende a crear diferencias entre grupos de padres e hijos y puede actuar como un obstáculo en la cohesión del grupo familiar. Este tema se desarrolla más ampliamente en el Capítulo "Las cuentas claras conservan el amor".

ALIANZAS Y EXCLUSIONES

Las familias de nuevo matrimonio tienen una característica que las diferencia de las demás, y que determina en gran medida el éxito o el fracaso en su vida cotidiana: **los vínculos entre padres e hijos son anteriores a los de la pareja marital.** Con mucha frecuencia, este rasgo origina conflictos, alianzas y exclusiones entre los distintos miembros de la familia.

En el inicio de un primer matrimonio, la pareja dispone de tiempo para estar a solas, conocerse en la convivencia, aceptarse y construir lazos de amor e intimidad entre ellos sin que ningún niño interrumpa esta privacidad, ni ningún ex esposo reclame nada. Los hijos se conciben en general como parte de un proyecto común y, a medida que nacen, son integrados gradualmente a la vida de la pareja y de la familia; ambos progenitores son responsables por ellos, ambos tienen ocasión de familiarizarse con el bebé y construir con él los vínculos de amor que más tarde harán que las peleas y conflictos sean absorbidos y atenuados.

Nada de esto ocurre en las nuevas formaciones familiares. Las madrastras y padrastros se ven forzados a aceptar y convivir con retoños que no eligieron tener, con niños educados según las pautas de "otro" progenitor que frecuentemente ni siquiera conocen, con adolescentes con los que no han tenido tiempo de establecer lazos de afecto, con seres desconfiados que le roban el tiempo de intimidad con su pareja. Habría que ser un ángel para verse libre de celos y de sensaciones de exclusión, cuando todo recuerda que la relación del cónyuge con sus hijos precede con frecuencia —en varios años— a la de la actual pareja, y que comparten una historia, códigos, referencias, recuerdos desconocidos para el recién llegado a la familia. Por lo demás, la pareja ha tenido poco o ningún tiempo para madurar y consolidarse antes de que los hijos de uno de ellos o de los dos hagan su entrada en escena, de manera que las relaciones previas al nuevo matrimonio aparecen por contraste como más sólidas, compactas y amenazadoras de lo que en realidad son.

Un temor manifestado tanto por madrastras como por padrastros en los primeros tiempos del nuevo matrimonio es que, si sus parejas se vieran por alguna razón forzadas a elegir entre los nuevos esposos y los hijos, escogerían a éstos últimos. Este miedo origina un círculo vicioso de inseguridad—retraimiento—hostilidad—inseguridad que ciertamente no contribuye al desarrollo de la pareja ni a la integración del grupo familiar.

"Hace un año que vivimos juntos; aún estamos tratando de conocernos, aceptar nuestras incompatibilidades y reforzar lo que tenemos en común. Es difícil adaptarse a la convivencia con otro, sobre todo cuando uno ya no es tan joven. Pero, además de estos problemas, que comparte cualquier pareja, mi marido tiene un hijo de trece años, y yo uno de doce, completamente diferentes entre sí, y los dos viven con nosotros. Así que tenemos que ayudarlos a adaptarse al padrastro, a la madrastra, al hermanastro... Por otra parte, los "ex" de cada uno están presentes, de alguna forma, a través de los chicos. A veces siento que somos una multitud, y que cada uno aporta un conflicto diferente. Es difícil habituarse a los hijos de otro; uno está acostumbrado a su propio hijo, sabe más o menos por qué se comporta como lo hace, lo quiere y lo disculpa. Pero tiendo a ser menos permisiva con el hijo de mi pareja, aunque no lo exprese abiertamente. El resultado es que aparecen unas terribles tensiones entre mi marido y yo, que muchas veces sólo se resuelven después de una pelea", se queja Candela, una contadora de 40 años.

Muchos padres casados de nuevo creen que la construcción de vínculos firmes con su nueva pareja —y eventualmente con los hijos de ésta— constituye una traición a los hijos de una unión anterior. Es cierto que los hijos suelen experimentar una sensación de pérdida cuando un progenitor vuelva a casarse, sienten que la madre o el padre les dedica menos tiempo, o que la intimidad entre padre e hijo disminuye ante la presencia de una "extraña"—, pero en el largo plazo este nuevo matrimonio satisface tanto las necesidades de los niños como las de los adultos. Por una parte, la familia funciona con más eficacia; por otra, los niños disponen de un modelo de buena relación de pareja que influirá en sus propias elecciones en el futuro.

Los tipos de alianzas, coaliciones y bloques más frecuentes en las nuevas formaciones familiares son los siguientes:

— Una relación de pareja demasiado fuerte, que excluya a los hijos, puede producir inseguridad en los niños, haciendo que se retraigan o que formen un bloque entre ellos, y perjudica en consecuencia la cohesión familiar.

— Una coalición entre el progenitor y sus hijos, que excluya a la nueva pareja, origina conflictos en la relación entre ésta y los hijastros, y resulta destructiva para la relación marital.

— En el caso de que cada uno de los cónyuges tenga hijos de parejas anteriores, y forme con ellos bloques excesivamente cohesionados, se originan dos grupos rivales dentro de la familia. Las consecuencias son graves: la relación de pareja se perjudica, se establecen relaciones de competencia y agresividad entre los hermanastros, padrastros e hijastros no pueden establecer vínculos satisfactorios, y todo ello resulta en dificultades serias para la integración familiar.

— Si existen fuertes alianzas entre uno de los esposos y su "ex", el nuevo cónyuge se siente celoso e inseguro, se producen conflictos en la relación entre padrastros e hijastros —dado que éstos representan al "otro" en la nueva familia— y la relación de pareja resulta dañada.

Muchas veces es útil llevar estos conflictos a una terapia de familia. Por lo demás, algunas estrategias aconsejables son:

— Termine de cortar el vínculo marital con su anterior cónyuge.

— Si la nueva relación de pareja es aún débil, ocúpese de reforzarla.

— Si usted es el progenitor, integre a la nueva pareja en las actividades de la familia. Tenga en cuenta que probablemente sus hijos lo pondrán a prueba, pidiéndole que excluya a la madrastra o al padrastro de actividades conjuntas. Evalúe la situación para saber si realmente necesitan estar un rato solos con usted, o si se trata de dejar deliberadamente fuera del campo de juego a su actual cónyuge.

— Facilite el contacto entre la nueva pareja y los hijastros. En estos casos, es preferible que el progenitor se quite de en medio, y deje que sus hijos y su esposo/a traben relación libremente.

— Si usted es la madrastra o el padrastro, enfoque la relación con sus hijastros con realismo, y no se autoimponga exigencias desmedidas.

— Dirija su enfado hacia quien corresponde: si ha tenido un disgusto con sus hijos o hijastros, no canalice su agresividad hacia su pareja.

— Si usted es el progenitor, trate de conversar con los niños y de hacer que no vuelquen en su pareja la agresividad que puede estar provocada por el progenitor al que ésta "remplaza".

— No cargue a su actual pareja con los sentimientos negativos provocados por la anterior.

LA VOZ DE LOS HIJASTROS

Para terminar este capítulo, ¿qué mejor que escuchar la voz de los hijastros? Su opinión y sus sugerencias, nacidas de sus propias vivencias, son particularmente valiosas en la construccion de las estrategias de convivencia.

"Lo principal es que la mujer de mi papá no se crea mi mamá", previene Daniela, una encantadora niña de once años y ojos negros e inteligentes. "A mí no me gustaría que ella se pusiera a opinar sobre mis amigos, o controlara con quién salgo."

Su hermana Ana, una espigada adolescente de cabellos dorados, acota: "Es necesario aprender a distinguir entre el papel de madrastra y la persona que lo encarna. El papel es siempre más o menos ingrato: en el fondo, los hijos siempre vamos a querer que nuestros padres vuelvan a unirse. Pero hay que adaptarse a la nueva situación, sobre todo cuando se percibe que la nueva pareja es sólida y que el padre está feliz con ella. Lo principal es darse cuenta de que la madrastra —o el padrastro— es una persona que está tratando también de adaptarse a un grupo nuevo, y por eso solo es digna de respeto".

"Yo aconsejaría a los niños cuyos padres han vuelto a casarse, que se adapten y traten de sacar el mejor partido de la situación", continúa Daniela. "Es lindo tener 'doble todo': dos casas, dos fiestas de cumpleaños, dos vacaciones, dobles regalos, dobles padres, abuelos, tíos, primos."

En cuanto a sugerencias para madrastras y padrastros, las niñas proponen que recuerden que no sólo deben seducir a los progenitores, sino tambien a sus hijos. "Nosotras venimos incluidas en el paquete", ríen.

¿Cuáles son las situaciones que hay que evitar, desde el punto de vista de los hijastros? "Es importante que los adultos no mezclen a los niños en sus peleas; los hijos tampoco deben crear deliberadamente situaciones difíciles. Lo que más molesta, es que el padre o la madre nos recuerden constantemente los esfuerzos que su nueva pareja hace por nosotros. Eso es no reconocer los esfuerzos que hacemos los hijos , y que muchas veces pasan inadvertidos", expresan.

"Lo más importante en las familias de nuevo matrimonio es tratar la vida cotidiana con mucho sentido del humor. La risa ayuda a capear las situaciones difíciles", terminan.

Claudina es una antropóloga de 29 años. Sus padres se separaron cuando era pequeña, y su padre volvió a casarse. Claudina y su madrastra mantienen una relación amistosa, libre de conflictos. "La clave es el respeto y la tolerancia mutuos. El vínculo entre padrastros e hijastros es *político*. Esto significa que hay que tratarse mutuamente con muchos más reparos de los que se aplican a los parientes consanguíneos. Con frecuencia, padres e hijos no miden lo que se dicen ni cómo lo dicen, porque piensan que el vínculo de sangre absorbe las peleas, y que la relación no se destruirá por un par de gritos. Ahora bien, esto, que es cuestionable entre padres e hijos, es inaceptable entre padrastros e hijastros. Este es un vínculo delicado, porque no sólo hay que cuidar la relación entre los nuevos esposos y los hijos de la pareja, sino también a la persona que está en el medio: el padre o la madre, que oficia de bisagra de la relación", observa.

"Pero padrastros e hijastros no son los únicos que deben ser cuidadosos", reflexiona Claudina. "El padre —o la madre— también tiene que tratar con delicadeza el vínculo entre estos dos desconocidos que se relacionan a través de él. Es necesario que no les imponga más de lo que pueden tolerar. Por ejemplo, que no fuerce a sus hijos y a su nueva pareja a verse con más frecuencia de lo que desean, o a que se acepten plenamente desde el principio. En el otro extremo, tampoco debe experimentar celos si su nuevo cónyuge y los niños construyen un lazo estrecho. El progenitor actúa como fiel de la balanza, lo quiera o no, y debe estar alerta para no desequilibrar esta relación, ya sea exigiendo demasiado o interponiéndose en el medio."

La vida hogareña puede ser un paraíso, o transformarse en ese infierno tan temido. Recuerde: el Paraíso se gana. La convivencia diaria con los hijos de la pareja puede ser, si no paradisíaca, al menos gratificante y alegre; o puede convertirse en un infierno cotidiano, que eventualmente lleve a otro divorcio. La elección del camino a uno u otro destino no depende de una sola persona: aunque los dos adultos sean los principales responsables de la cohesión familiar, es necesario tener en cuenta los sentimientos y reacciones de los hijos. Y después, se debe decidir con quién se forma, no un bloque excluyente ni una coalición eliminatoria, sino un sólido equipo para compartir las decisiones vitales y avanzar hacia la integración del nuevo grupo familiar.

IDEAS PARA COMPARTIR

- Converse con su pareja, y apóyela en su tarea de definir y hacer cumplir las normas y límites ante sus propios hijos. Si hay dos juegos de hijos (los de ella y los de él), las reglas tienen que ser —en lo posible— las mismas para todos; cada progenitor debe hacerlas cumplir a sus propios hijos.

- Discuta sobre los problemas de parentalidad con su pareja cuando están solos: NUNCA lo haga delante de los hijos.

- Los dos adultos necesitan apoyarse mutuamente en el hogar en lo que concierne a cuestiones de disciplina. El progenitor biológico es el encargado natural de hacer cumplir las normas acordadas, pero cuando vaya a ausentarse, o no se lo pueda contactar por cualquier razón, es necesario que transmita claramente a sus hijos el mensaje de que la madrastra o el padrastro está actuando como una "figura de autoridad" que representa a ambos adultos durante su ausencia.

• La unidad en la pareja es fundamental en las familias de nuevo matrimonio. Dejar que los niños practiquen la antigua estrategia de "dividir para vencer" es asegurarse un fracaso estrepitoso, como pareja y como padres.

• Cuando tenga que transmitir a sus hijastros una información importante (por ejemplo: decidimos ir a vivir al Canadá) o implantar una nueva regla, decida en privado con su pareja quién hablará con los niños, y la mejor manera de hacerlo.

• No trate de resolver *todos* los problemas de disciplina de una vez, pues podría generar confusiones y resentimiento. Concéntrese en las áreas conflictivas que resulten importantes para la pareja. Estas áreas deben ser específicas: decir "los chicos participarán en las tareas de la casa" es demasiado vago. Resulta mejor referirse a tareas concretas como "poner la mesa", "ir al supermercado", o "mantener arreglados los cuartos", y dejar que los mismos hijos se las distribuyan entre sí.

• Los hijastros suelen resistir los intentos de las parejas de sus progenitores para imponer disciplina, pero al mismo tiempo quizá sientan que la falta de directivas por parte de los padrastros es un prueba de su carencia de interés y atención hacia ellos. La conducta rebelde de los hijastros puede ser una manera de poner a prueba al padrastro, o una forma de llamar su atención.

• Los cambios graduales en lo que se refiere a la disciplina hogareña son tan necesarios para los hijos como para la pareja. Con frecuencia, los progenitores transmiten dobles mensajes a sus nuevas parejas: pretenden que los ayuden con la disciplina y el cuidado de los niños, pero al mismo tiempo sienten que deben proteger a sus hijos ante los padrastros. Muchas madrastras y padrastros, desconcertados, optan por retraerse y no inmiscuirse en la crianza de los niños. Los progenitores creen entonces que sus parejas no se interesan por sus hijos, y se sienten abandonados en sus funciones parentales. La solución más adecuada en estos casos parece ser la participación gradual y concertada de los padrastros en las funciones normativas de la familia.

- Cuando desee cambiar la conducta de sus hijastros, recuerde que las recompensas funcionan mejor que los castigos. Pero cuide que no se transformen en sobornos: los niños los detectan rápidamente y aprenden a utilizarlos.

- En caso de conflictos con sus hijastros, trate de conversar con cada uno de ellos por separado para llegar a una solución. No se enfrente con todos ellos a la vez, porque llevará las de perder ante la superioridad numérica; recuerde que tienen más fuerza —y más agresividad— como grupo que individualmente.

- Si usted siente temor de cambiar en su hogar lo que considere necesario —normas de conducta, hábitos, etc.—, deténgase y piense: ¿Puede pasar algo peor si las cosas cambian? ¿Y si continúan igual? Evalúe las consecuencias con su pareja.

- Algunas técnicas, simples pero efectivas, le ayudarán a hacerse escuchar por sus hijastros:
    - No pierda el control. Evite los gritos.
    - Hable despacio y con claridad. Use oraciones cortas y comprensibles.
    - Abandone las muletillas como: "Bueno...", "Es decir...", que quitan eficacia a lo que está diciendo.
    - Si sus hijastros son más altos que usted, hable con ellos sentado, o sitúese a una distancia en la cual la altura no se perciba: es difícil ejercer autoridad sobre alguien más grande que uno.
    - Mantenga un tono de voz bajo, y haga caer la entonación al final de la oración. Terminar con una nota alta suena vacilante.
    - Mantenga el contacto visual mientras habla.
    - Utilice un lenguaje corporal positivo: permanezca de pie o siéntese muy derecho, y mire directamente a la

persona con la que habla. No intente transmitir un mensaje y cocinar al mismo tiempo.

- Si le interrumpen, mire a su hijastro a los ojos, llámelo por su nombre, y dígale que le gustaría terminar lo que estaba diciendo.

• Organice "asambleas de familia" en las que todos los miembros puedan exponer su quejas con respecto a la situación del grupo, y en las que sea posible discutir las soluciones adecuadas.

• Reconozca los esfuerzos del cónyuge, de los hijos e hijastros, por aceptar y cooperar en la reorganización familiar, y hágaselo saber.

• Sea flexible en la organización de su presupuesto familiar: una fórmula que funciona bien en cierta etapa puede resultar ineficaz cuando se producen cambios en su familia o en las de matrimonios previos. Si es necesario, acuda a *counselors*,[2] mediadores o asesores financieros para resolver los nudos económicos.

• La construcción de nuevas relaciones en las familias de rematrimonio es una tarea delicada e importante, sobre todo cuando los niños son pequeños. Planear actividades que impliquen a los diferentes subgrupos ayuda a la integración. Por ejemplo, madrastra e hijastros pueden ir juntos a ver una película, o padrastro e hijastros pueden compartir una tarde de pesca.

[2] La función terapéutica de los *counselors* está descrita en el Capítulo 14: "Dónde pedir ayuda".

139

8

Hijastros de fin de semana

"Paso cinco días por semana cuidando a los hijos de mi pareja. ¡Preferiría estar en el lugar de Esther, que sólo recibe a los niños de su marido un fin de semana de cada dos!" La que así se expresa es Alcira, quien acaba de casarse con un divorciado, padre de dos niños. Esther no está de acuerdo: "Tú tienes muchas ventajas: puedes educar a los niños, jugar con ellos, verlos crecer, ir conociéndoles en la vida de todos los días; en cambio, yo siento que cada sábado por la mañana caen en mi casa tres enanitos casi desconocidos. Cuando me acostumbré un poco a ellos, ya es domingo a la noche, los llevamos a casa de su madre, y vuelven a ser extraños por dos semanas más".

La relación con los hijastros de fin de semana tiene características diferentes de las de la convivencia cotidiana, y presenta sus propios problemas. Este capítulo trata este tema y propone estrategias para capear las zonas tormentosas. Está dividido en dos partes: en la primera, "Las crisis de cada semana", se habla de la necesidad de algunos padres de convertirse en un superprogenitor, de los conflictos que se derivan de ello con la nueva pareja, del desconcierto que causa no estar seguro de si los chicos son "familia permanente" o están de visita, y de las migraciones de los niños entre las dos casas. En la segunda, "Enfrentando los problemas", se tratan cuestiones específicas, por ejemplo si los niños deben ser considerados visi-

tas o dueños de casa, la envidia que el "hogar de fin de semana" despierta a veces en los hijastros, y la necesidad de adaptar
los cronogramas de padres, madres y sus respectivas parejas
durante esos días.

LAS CRISIS DE CADA SEMANA

• El superpapá

A pesar de que un número creciente de padres pide y
obtiene la custodia de sus hijos —el porcentaje de estos padres
creció en un 33% en los últimos años, en Argentina— los estudios muestran que, por ahora, sólo una minoría de padres separados vive con sus hijos. El resto de los progenitores —y eventualmente sus nuevas esposas— reciben a sus hijos algunos días
por semana, en las vacaciones, o según el régimen de visitas
que hayan acordado con su ex cónyuge.

Es frecuente que los padres no custodios experimenten
sentimientos de culpa por haber causado sufrimientos a sus hijos
debido al divorcio, aún en los casos en que no han sido ellos
los iniciadores de la separación. También suelen sentirse culpables por no ver a los niños tan a menudo como creen que
deberían, o como los hijos lo necesitan. O bien la ex mujer
puede acusarlos de abandonar a los niños, por no pasar con
ellos más tiempo o no pagarles una suma de alimentos suficientemente alta.

En consecuencia, los padres se sienten presionados a
demostrar a sus hijos que los aman, a darles todo lo que pueden, a influirlos del modo que consideran más útil... y todo esto
en el poco tiempo del que disponen para estar con ellos: una
tarde o noche en medio de la semana, un fin de semana, una
quincena de vacaciones... El resultado es que el padre suele
dejar el traje que usa para la oficina o el "jogging" de fin de
semana para vestir las calzas y la capa de Súper-Papá. Este personaje se caracteriza por proponer a sus hijos actividades conjuntas complejas y costosas, hacerles numerosos regalos, no
imponerles ningún tipo de límites o de normas disciplinarias,
para finalmente devolverlos a casa de su madre, el domingo a
la noche, exhaustos, con dolor de estómago y con una inque-

brantable tendencia a decir "¡Papá no me obliga a hacer lo que no quiero cuando estoy con EL!".

Mientras tanto, la nueva esposa del padre suele experimentar sentimientos de exclusión y de resentimiento ante la coalición padre-hijos. No sabe cómo tratar a los niños que están en su casa por períodos tan cortos, y no tiene tiempo de conocerlos, porque el padre los acapara. Su relación con los pequeños "visitantes" tiene bastantes posibilidades de tornarse confusa y conflictiva. En otros casos, las madrastras, empujadas por vagos sentimientos de culpa —los niños se han quedado sin padre debido a la formación de la nueva pareja, o no pasan el tiempo que deberían con su padre porque éste ha vuelto a casarse, etc.—, acompañan a los padres en su actitud de superpapás, comportándose como ellos.

La historia de Estela es un buen ejemplo de este caso: "Cuando Daniel y yo iniciamos nuestra relación, él estaba casado y tenía una hija de cuatro años, Julita. Tres años después, había obtenido el divorcio, y en cuanto fue posible nos casamos. Nuestro período de adaptación que difícil: ambos tenemos el carácter vivo. Además, él se sentía terriblemente culpable ante su hija, lo que complicaba la situación. Todos los fines de semana, de viernes a la noche a domingo a la tarde, Julita se instalaba en casa y comenzaba para mí un período de desconcierto. Daniel trataba a su hijita como si todo fuera poco para ella: la colmaba de regalos, la llevaba a comer a restaurantes de lujo, le organizaba actividades costosas, como fines de semana en un hotel exclusivo, o compras en las mejores tiendas. Una vez la llevó a Disneylandia en Semana Santa, aunque estábamos pasando por un mal momento económico. La niña se volvía antojadiza y caprichosa, yo estaba nerviosa porque cada fin de semana me sentía una presencia de sobra en mi propia casa, la ex mujer de Daniel protestaba porque Julita volvía a su casa desmedidamente exigente y nada la complacía... Al principio, no me opuse al comportamiento de mi marido: entendía que lavaba culpas por el divorcio y pensaba que la situación se resolvería cuando Daniel se sintiera mejor al respecto. Además, yo tampoco me sentía libre de culpa: después de todo, de no haber sido por nuestra relación, quizás él no se habría divorciado y Julita tendría un papá de tiempo completo. Pero empecé a sentirme abandonada durante fines de semana enteros, mientras mi marido jugaba a ser un héroe de fin de semana ante su hija. Finalmente, después de varias peleas, lo convencí de que hiciéramos terapia de pareja, y aunque la situación aún no se ha resuelto por completo, estamos trabajando con ese propósito."

Otros padres no custodios —y muchas veces también sus nuevos cónyuges— se preocupan porque disponen de poco tiempo para transmitir a sus hijos su amor, sus pensamientos y valores éticos y morales, sobre todo cuando compiten con su ex mujer por ganar a los hijos "para su campo". A fin de cumplir el papel formador de padres, tienden a hacer llover sobre los niños un concentrado de máximas, consejos y discursos. Como los hijos suelen plantear resistencia a que los adultos les inculquen sus modelos e ideales en cada visita, es probable que se retraigan y rebelen ante los "discursos de adultos".

Pablo, un ingeniero agrónomo de 42 años, y su mujer, Elena, se separaron debido a profundas incompatibilidades en sus objetivos y en sus estilos de vida, y el divorcio les dio libertad para ahondar estas diferencias. Elena se empleó en una agencia de estudios de mercado, donde en pocos años y con enormes esfuerzos alcanzó el nivel gerencial. Decidida a afirmar el territorio económico y social ganado, se mudó con sus dos hijos de 12 y 14 años a un coqueto departamento en un barrio de altos ingresos, y educó a los niños en prestigiosos colegios privados. Pablo formó pareja con una colega y decidieron cambiar radicalmente de vida: se instalaron en el campo, donde compraron una granja para dedicarse al cultivo de árboles frutales y a la producción de dulces artesanales. Los hijos de Pablo los visitan un fin de semana por mes y durante parte de las vacaciones, períodos en que el padre despotrica contra el esnobismo de la madre, la educación elitista de los colegios privados, y la alienante carrera por el prestigio, e intenta inculcarles el amor por la vida simple, la naturaleza y la ecología. "No sé si a ellos les gusta incondicionalmente el estilo de vida de su madre; creo más bien que se sienten obligados a defenderlo ante el padre. Lo evidente es que cada vez que Pablo abre la boca, ellos se miran entre sí y se pasan horas criticando nuestro modo de vida, la casa, a nuestros amigos...

los únicos que se salvan son los perros. El padre se desespera, insiste en sus discursos sobre la vida natural y en algún momento estalla una discusión entre los tres. Esto se ha convertido casi en un juego, pero me parece que está lejos de ser un juego inocente. Todos los participantes resultan más o menos heridos", relata Beatriz, la segunda mujer de Pablo.

Tanto a padres como a padrastros puede resultarles reconfortante saber que **los ejemplos de comportamiento y de relaciones que los hijos puedan observar en su casa durante las visitas tienen más poder que los discursos, y que pueden influir más efectivamente en las decisiones que los hijos harán en el futuro. El mero hecho de estar con su padre, observar cómo enfoca la vida y desarrolla sus actividades, percibir cómo lleva adelante sus relaciones afectivas y laborales, ejerce sobre los hijos mucho más efecto que el derivado de lo que ellos exteriorizan.** La influencia paterna puede continuar aún cuando los hijos han dejado de ser niños, manifestándose meses o años más tarde, en su manera de enfocar y manejar situaciones vitales. Por lo demás, considere que los padres y los padrastros no son los únicos que ejercen efecto sobre los hijos. Estos reciben mensajes, códigos y consignas de una infinidad de fuentes: otros miembros de la familia, amigos, escuelas, clubes, televisión, cine, diarios, revistas y libros, espectáculos, la calle... Ni el padre mejor intencionado puede —ni debe— ejercer un control completo sobre todos estos focos de influencia.

A pesar de todos los esfuerzos de los padres, suele suceder —tanto en las familias intactas como en las de nuevo matrimonio— que los hijos adolescentes eligen estilos de vida, profesiones, parejas o ideologías que no coinciden con los deseos de los progenitores. Si éstos son capaces de renunciar a "tratar de formar" —o a reformar— a los jóvenes según sus criterios durante los cortos períodos de visitas, padres e hijos se sentirán más relajados, lo que eventualmente facilitará un diálogo más productivo. En la adolescencia, la rebeldía es una de las herramientas utilizadas por los jovencitos para afirmar su identidad. Cuanto más trate un adulto de imponer sus ideas en cuanto a modales, ropas, amigos, etc., tanto más probable es que los adolescentes se sientan tentados a hacer exactamente lo contrario.

Son numerosos los niños y adolescentes que no se muestran muy entusiasmados con las migraciones continuas entre
dos casas. Si bien el hecho de ser miembro de dos hogares puede
suministrarles modelos de comportamiento adicionales suscep-
tibles de aprovecharse en el futuro, y una mayor variedad de
experiencias de las que aprender, también suele hacerles sentir
indefensos y carentes de control sobre su tiempo y espacio.

Tal como se mencionó en el capítulo anterior, es frecuente
que los hábitos, reglas y límites difieran en los dos hogares.
Pasar de uno a otro, adaptarse a los diversos requerimientos de
los habitantes "permanentes", puede significar para los niños
un minichoque cultural. A menos que se les haga comprender
que pueden existir muchas formas de vida aceptables, y que no
necesariamente deben ser calificadas de "buenas" y "malas",
es posible que se pronuncien contra una de ellas. También es
probable que el sistema de normas que rechacen sea el del hogar donde pasan menos tiempo. **En estos casos, es aconsejable ayudarlos a entender que, al rechazar la forma de vida
de la familia con la que pasan los fines de semana, no sólo
se alejan de uno de sus progenitores, sino que también se
privan de la riqueza de experiencias distintas que tienen al
alcance de la mano.**

Con frecuencia, el malestar que experimentan los niños
al ir de una casa a la otra se debe a que perciben que, si lo
pasan demasiado bien en casa de uno de los progenitores, o si
desarrollan mucho cariño por su nueva pareja, el otro puede
sentirse amenazado en su parentalidad. En los casos de divorcios mal concluidos emocionalmente, en los cuales la madre
—con la que el niño vive habitualmente— no ha terminado de
aceptar que su ex cónyuge haya construido una nueva familia,
los niños suelen pagar las consecuencias en moneda de culpabilidad. Cuanto más afecto, comprensión y atención se les proporcione en casa del padre, tanto más grave será el conflicto
interno del niño, dado que este cariño puede ser vivido como
una amenaza: aceptarlo y disfrutar de él implicaría el riesgo
(real o imaginario) de perder el amor y la aprobación de su
madre.

A veces, los niños toman el comportamiento afectuoso de su madrastra o padrastro por una actitud de soborno. En algunos casos, esto es real; por ejemplo, un padrastro permisivo puede estar insinuando: "Te hago regalos o concesiones, pero no te interpongas entre tu madre y yo". Sin embargo, la mayoría de las veces, el afecto de las nuevas parejas de los progenitores hacia los niños es auténtico, aunque sus asustados hijastros no lo perciban como tal. Si un niño vive con una madre demasiado rígida o depresiva, y la madrastra con la que está durante pocos días a la semana es alegre, cariñosa y divertida, el niño se sentirá más atraído por el modelo maternal ofrecido por su madrastra y, por lo tanto, experimentará sentimientos de culpa por la "infidelidad" hacia su madre. En muchos casos, el progenitor custodio no quiere que su hijo lo pase demasiado bien en la otra casa, y lo demuestra mediante distintas actitudes. Suele suceder que, para resolver este conflicto, que le resulta doloroso y atemorizador, el niño atribuya a la madrastra actitudes de soborno, pensando que ella no es afectuosa y alegre **en realidad**, sino que *finge* serlo para sobornarlo y ganárselo. En otras palabras, la figura de la madre que el hijo tiene internalizada le dice: "Todo lo que ella hace contigo y por ti, no se debe a que sea sincera y te quiera de verdad, sino a que desea que la quieras a ella y me dejes a mí".

Muchas veces, la madrastra o el padrastro suelen caer en la misma confusión: la tarea de establecer un vínculo positivo con los hijastros es tan compleja, paciente y prolongada, que en ciertos momentos no pueden distinguir si su propia actitud de afecto hacia los niños es genuina, o si utilizan la seducción y los sobornos afectivos para ganar la paz familiar.

En semejantes casos, **es conveniente que el padre explique a sus hijos que uno puede amar a varias personas distintas, y que sentir cariño por su madrastra no implica abandonar ni traicionar a su madre. Cuando los niños son pequeños, puede mostrárseles que, del mismo modo que el afecto que sienten por sus abuelos, tíos, niñeras, etc., no implica una traición hacia sus padres, el cariño hacia las nuevas parejas de sus progenitores tampoco debe hacerlos sentir culpables.**

Si bien los "hijastros de fin de semana" están en cierto modo presentes durante todo el tiempo en la familia de nuevo matrimonio, los hijastros ausentes debido a conflictos con sus progenitores o con sus padrastros también ocupan un lugar importante en el grupo familiar: son los que brillan por su ausencia. A veces, los hijos se niegan a aceptar el divorcio de sus padres y el nuevo matrimonio de uno de ellos. Otras, los padres prefieren evitar conflictos viendo a los hijos sin la nueva esposa. Si esta situación cuenta con el acuerdo de la pareja, puede desarrollarse sin excesivas complicaciones; pero en los casos en que la madrastra es excluida por el dúo padre-hijos, se producen situaciones conflictivas, como ilustra la historia de Matilde, una regordeta morena de 52 años, dueña de un restaurante:

"Hace veintiocho años que Elías y yo convivimos, y cuatro que nos casamos. Iniciamos nuestra relación cuando éramos muy jóvenes; él estaba separado de su primera mujer desde hacía un año —en esos tiempos no se había legalizado aún el divorcio—, y tenía una hija de un año y medio, Natacha, que vivía con la mamá. Nunca se pudo acordar un régimen de visitas regular, a causa de la oposición de la madre de Natacha, que se negaba a que la niña entrara en nuestra casa. Elías sólo pudo ver a su hija gracias a la mediación del juzgado, aunque sólo en presencia de asistentes sociales. Yo apenas la vi un par de veces durante esos años. Cuando Natacha cumplió años, le di la llave de nuestra casa y le dije que podía venir cuando quisiera, a pesar de que su padre prefería mantener su relación con ella fuera de casa; yo me daba cuenta de que su madre no le proporcionaba un buen hogar y quería compensarla abriéndole las puertas del nuestro. Entretanto, nosotros habíamos tenido dos hijas y nuestra familia estaba consolidada. La joven sólo vino algunas veces, generalmente para pedir dinero a su padre; a veces salía con él, pero siempre rechazó mis invitaciones a participar de las actividades familiares. Cuando le pregunté por qué lo hacía, me respondió que su padre le había pedido que evitara venir a casa.

La vida de Natacha es muy confusa: a los treinta años,

ya se separó dos veces —tiene dos hijos, uno de cada pareja—, y parece incapaz de conservar ningún empleo. Mi marido le pasa una mensualidad, cuya suma prefiere no decirme. A pesar de que en una oportunidad en que mi hijastra pasó unos meses en Brasil para buscar trabajo allí yo me quedé a cargo de sus hijitos, nunca hubo una respuesta positiva de su parte. Creo que este desencuentro —que después de veintiocho años sigue siendo una herida abierta en nuestra familia— se debe en parte a que Elías no confía en mí como madrastra, y en parte a que él prefiere mantener todo lo referente a su primer matrimonio en un compartimiento estanco. Pienso que mi marido no puede compartir a su hija mayor con nosotras a causa de la relación traumática y culposa que mantiene con su ex mujer. Su relación, casi clandestina con su hija, afecta negativamente nuestra vida de pareja."

Actualmente Matilde y su marido están en terapia de pareja; ella siente que la relación entre su marido y su hija mayor es una zona oscura que no comprende y que la perturba, un área en la vida de Elías sobre la que no tiene ningún control.

• Padrastros en misión de paz

A veces, como en el caso de Matilde, la distancia entre los hijastros y la nueva formación familiar se debe a conflictos no resueltos del progenitor. En otros casos, los problemas de división de bienes de familia inherentes a las separaciones, los celos de los hijastros adolescentes o adultos, o la actitud del ex cónyuge, alejan a los hijos de un matrimonio anterior. Algunas madrastras se lamentan porque estas ausencias están muy presentes en la vida familiar, a través de las actitudes del progenitor, de apariciones fugaces de sus hijos, de aportes monetarios o de discusiones entre padre e hijos que repercuten en la familia. **En circunstancias en que el progenitor o los hijos rechacen la relación de éstos con la familia de nuevo matrimonio, el papel de la nueva pareja es limitado, dado que el conflicto es anterior a su aparición en escena: puede brindar un oído atento a las preocupaciones de su cónyuge, sugerir terapias individuales o de pareja, pero resulta contraproducente que intente mediar en el conflicto.**

Sin embargo, existen casos de incomprensión familiar en

los que la nueva pareja puede desempeñar un papel positivo. A veces, a un padrastro o a una madrastra que no han estado envueltos en rencores anteriores, les resulta más fácil que a otros miembros de la familia ejercer la mediación entre el progenitor y los hijos. Así lo ilustra la historia de Nora, una activa periodista de 35 años.

Nora conoció a su marido, Javier— un próspero industrial de 57 años—, cuando tuvo que hacerle una entrevista para la revista en la que trabajaba. Javier estaba divorciado desde hacía cinco años y tenía tres hijos: una joven de 27 años, y dos varones de 24 y 21. Los hijos aún no habían terminado de elaborar el divorcio de sus padres; se habían erigido en paladines de la madre "abandonada" (la separación se había producido a raíz de que la esposa había descubierto la relación de Javier con una empleada) y veían a su padre en contadas ocasiones. Por su parte, Javier no sabía cómo acortar la distancia que lo separaba de sus hijos. Nora empezó a sentir que volcaba en ella sus sentimientos paternales y decidió que trataría de resolver la situación interviniendo discretamente. Invitó a cada uno de sus hijastros a cenar con el padre y con ella; cuando percibió que la atmósfera entre padre e hijos comenzaba a entibiarse, fijó con ellos una noche a la semana para que los tres jóvenes fueran a cenar a la casa. Desde entonces, la familia se reúne todos los lunes. Nora ha establecido una estrecha relación amistosa con su hijastra, y se entiende bien con los muchachos. El último verano, por primera vez desde el divorcio, padre e hijos compartieron parte de las vacaciones, por supuesto en compañía de Nora.

"No me resultó difícil llamar a los chicos y convencerlos de que ellos y su padre se necesitaban mutuamente, porque en realidad yo era ajena al conflicto: el divorcio no se había producido por mi culpa, me siento muy segura del amor de mi marido y del lugar que ocupo en su vida, y no hay ningún territorio en disputa con los hijos de Javier", afirma ella. Desde la seguridad de su papel y su lugar en la familia, Nora fue capaz de adoptar un rol reparador que resultó efectivo.

En situaciones como la de los hijos ausentes, como en muchas otras, es aconsejable evaluar cuidadosamente las características del conflicto antes de decidir si se interviene, y de qué forma. Si bien ayudar con tacto a reestablecer lazos de afecto dañados puede ser útil, como en el caso de Nora, transformarse en mediador no solicitado entre dos partes que rechazan la intervención de terceros —como en la historia de Matilde, quien deseaba tanto ayudar a su marido como mantener cierto control sobre la relación entre él y su hija— quizá resultase contraproducente para la relación de la pareja.

Tanto en el caso de los hijastros de fin de semana como en el de los ausentes, es importante mantener la flexibilidad de los esquemas que se construyen. Las necesidades de los niños con respecto al régimen de visitas, el espacio que ocupan en los dos hogares, y la atención de padres y padrastros, varía con la edad. Es posible que los niños en edad escolar planifiquen programas que los mantengan ocupados durante parte del fin de semana; también ocurre con frecuencia que los adolescentes, que ponen el acento en sus grupos de pares, rehúsen seguir con la rutina de los fines de semana, o que ante la necesidad de identificarse con el progenitor del mismo sexo soliciten un cambio de progenitor custodio. En cualquiera de estos casos, resulta preferible acordar modelos elásticos de distribución del tiempo de los hijos entre los dos hogares.

ENFRENTANDO LOS PROBLEMAS

• ¿Visitantes o locales?

Los niños cuyos padres se han divorciado —y uno de ellos, o los dos, han vuelto a casarse— tienen dos grupos familiares: el del progenitor custodio (por lo general la madre), con el que viven la mayor parte del tiempo, y otro que visitan los fines de semana y en las vacaciones. Este último grupo incluye a la madrastra, posiblemente a los hijos del padre y de ésta, y eventualmente a algunos hermanastros.

Habitualmente se emplea la palabra "visitantes" para referirse a los hijos que pasan períodos cortos con uno de los progenitores, y que son miembros menos permanentes del hogar que otros. Para madrastras y hermanastros, y hasta para los medio hermanos —los "locales"—, estos niños son considerados con frecuencia visitas —ya sean bienvenidas o fastidiosas— que alteran el ritmo cotidiano de la familia.

Los niños "visitantes" se encuentran atrapados en una situación de doble pertenencia. En general, no se los percibe del todo como miembros "plenos" de la familia con la que no viven durante la semana. No se les puede considerar "visitas", porque tampoco lo son. La carencia de un papel claramente definido, el conflicto de lealtades divididas que los niños suelen experimentar, sus dificultades para adaptarse a una familia diferente, la frecuente sensación de pérdida de la intimidad con el progenitor que acompaña al nuevo matrimonio de éste, las diferencias con los padrastros y/o hermanastros, originan confusiones y tormentas emocionales íntimas, que pueden manifestarse en conductas conflictivas.

Los terapeutas de familia señalan que, si se considera a los pequeños "visitantes" como moradores habituales de la casa que pasan en ella menos tiempo que los demás, el estado de ánimo de toda la familia puede cambiar favorablemente. Los hijastros de fin de semana tienen un progenitor —y con frecuencia también hermanos, hijos de ese progenitor y su nueva pareja— en la casa, y por lo tanto son miembros del hogar por derecho propio. Después de todo, su "status" como hijos de un miembro de la pareja no se diferencia del de los hijastros "residentes" más que en el hecho de que los primeros viven durante el resto del tiempo con el progenitor que posee la tenencia.

A los niños "visitantes" les agrada ver al progenitor con el que no viven, y a éste a su vez le gusta ver a sus hijos. Sin embargo, las visitas de fin de semana suelen estar teñidas de tensión, y terminar, en el mejor de los casos, con suspiros de alivio, y en el peor, con niños llorosos y afiebrados, y adultos irritados. Por lo demás, si los fines de semana concluyen a menudo en forma desastrosa, y si los niños llevan a la *casa de la semana* historias y comentarios sobre lo mal que lo pasan con su padre y su madrastra, la madre puede aprovechar la oportunidad para ventilar viejos rencores con su ex marido, reprochándole su incapacidad para estar con sus hijos, o negándole la posibilidad de verlos.

Algunas veces este tipo de acciones está justificado. Sin embargo, también es posible que los pequeños visitantes inventen historias para hacer realidad su fantasía de separar a la nueva pareja y volver a unir a sus padres. Los adultos suelen alentar estas actitudes, pues a menudo muestran sumo interés en oír historias desfavorables sobre la *otra* familia.

En los casos en que las relaciones entre los hijos, el progenitor y el nuevo cónyuge son muy conflictivas, los períodos de visita suelen ser tensos. Aunque nadie está muy deseoso de que *esos días* lleguen, ningún miembro de la familia sabe cómo hacerlos más llevaderos, ni se atreve a sugerir que se suspendan las visitas. A veces, los padres no tienen deseos de ver a sus hijos, pero se sienten obligados a hacerlo. Culpabilizados por lo que consideran una grave falta hacia los niños, sobreactúan su papel paternal. Las madrastras quizá quieren estar a solas con su marido o, simplemente, no tienen interés en ocuparse de los niños ajenos. A los hijos tal vez les resulta contraproducente tener que migrar al hogar del padre y compartir unos días con la nueva pareja. Por otro lado, los niños mayores y los adolescentes suelen planear sus propias actividades, y es posible que no deseen obedecer las imposiciones de los adultos sobre dónde deben pasar el fin de semana.

Los niños que sólo pasan una parte del tiempo con su padre y la nueva pareja de éste, a veces se sienten inseguros en cuanto a si realmente tienen un lugar que les pertenezca en la casa. Algunas sugerencias pueden facilitar los períodos de "visita":

- Si las dimensiones de la casa lo permiten, resérveles su propio cuarto, en el que guardarán su ropa, libros, juguetes y objetos personales, y por el que serán responsables durante el tiempo que lo habiten.

- Si esto no fuera posible, asegúrese de que el niño conserve en la casa juguetes, juegos, equipo deportivo, ropa, etc., que se guardarán en un lugar que les pertenezca exclusivamente, y que no serán tocados o desplazados sin permiso del dueño.

- Conserve elementos básicos, como algunas ropas de los niños, cepillos de dientes, artículos de tocador y otros artículos necesarios en la casa, en el lugar específicamente destinado a ellos. De este modo, sus hijastros no se verán obligados a migrar de una casa a la otra transportando un bolso de fin de semana, como hacen las visitas.

- No los considere "visitas": trátelos como a los otros miembros del hogar. Si esto significa que tienen que compartir las tareas domésticas con los demás, asígneles las suyas: hágalos sentirse parte de un equipo.

- No caiga en el extremo opuesto usando todo el tiempo que tienen para estar juntos en tareas del hogar. La integración de los hijastros de fin de semana en el grupo familiar puede adquirir diversas formas: salidas conjuntas, juegos, conversaciones, silencios compartidos, etc.

- Procure no intervenir en los conflictos entre los hijos "residentes" y los "visitantes", a menos que sean muy repetitivos o que tomen características violentas. TODOS los hijos presentes tienen los mismos derechos, incluso el de defenderse por sí mismos, y el de resolver sus problemas entre ellos.

- Explíquele al niño que usted está "a mano" para todo aquello que pueda llegar a necesitar, pero no fuerce la relación. Deje que los niños y/o adolescentes descubran poco a poco cuál es el lugar que quieren ocupar en la casa, y qué relación quieren tener con la nueva pareja del progenitor.

. Cómo evitar los: "¡Me aburro, papá!"

"Temo los fines de semana, pero no porque me desagrade Raúl, el hijo de mi pareja. Todo lo contrario: es un niño de seis años lleno de rizos y pecas, activo y afectuoso. Sin embargo, es terriblemente exigente. Me encanta recibirlo, pero no me queda tiempo para otra cosa que no sea ocuparme de él. O estamos con él y le inventamos juegos todo el tiempo, o se aburre. Parece poco capaz de divertirse solo, con sus juguetes o con el televisor, y menos aún con libros", se queja Graciela, una asistente social de 29 años. Verse forzado a entretener a niños que se aburren no es sólo un problema en las familias de nuevo matrimonio, pero en éstas los hijos suelen presentar mayores demandas de atención de los adultos, sobre todo cuando son pequeños. En estos casos, es aconsejable incluir a otros niños en las actividades familiares:

- Si el tipo de barrio o de edificio en que vive lo permite, procure que los hijastros "visitantes" traben amistad con niños vecinos. Así se sentirán más "en casa", no sólo en la vivienda, sino también en sus inmediaciones. Usted puede facilitarles el comienzo de esas relaciones, llevándolos a la plaza o al club del barrio, invitando a sus vecinos a su casa, incluyendo a los niños vecinos en comidas y actividades familiares, etc.

- En caso de que no haya otros niños en la casa, el trío compuesto por los dos adultos y el hijo de uno de ellos es susceptible de provocar situaciones difíciles, en las que uno de los tres se sienta excluido. Aliente al niño a que invite a un amigo a compartir algunas de las actividades de la familia, o a quedarse durante el fin de semana: los pequeños se harán compañía mutuamente y los adultos se verán libres de la obligación de mantener entretenido al niño, además de que dispondrán de algún tiempo para ellos.

- Las familias extensas (padres, hermanos y primos de ambos miembros de la pareja) pueden volverse muy útiles, invitando a los niños a fiestas familiares y a actividades conjuntas con primos y amigos, lo que también servirá para que los niños reafirmen su pertenencia al grupo familiar.

• La envidia del hogar de fin de semana

Con mucha frecuencia, el divorcio trae aparejado el descenso del nivel económico de ambos miembros de la pareja. Si pasado un tiempo uno de ellos —generalmente el hombre— alcanza un nivel de confort más alto que el otro, los hijos pueden estar atentos al nuevo bienestar y sentirse discriminados porque la madre, con la que viven, no dispone de la misma calidad de vida.

"Cuando me casé con Gustavo, él estaba en una pésima situación económica. Es un buen arquitecto, pero no conseguía contratos. Además, le había dejado la casa a su ex mujer y sus dos hijos, y vivía en un apartamento estrecho y casi desprovisto de muebles. Su ex tenía un trabajo de medio tiempo, y no deseaba buscar otro mejor pagado porque, decía, quería dedicarse a cuidar a los niños, a pesar de que ellos tenían ya 12 y 14 años", relata Sofía, una abogada de 35 años. "Poco a poco, con mucho trabajo y empeño, nuestra economía mejoró. Gustavo se asoció a un estudio exitoso y comenzó a tener obras importantes. A mí me iba ya bastante bien con mi estudio, de modo que compramos una casa espaciosa, la decoramos y nos instalamos confortablemente. Los hijos de Gustavo están con nosotros los miércoles a la noche y un fin de semana por medio. Aunque el padre les pasa una suma mensual bastante generosa —que ha ido aumentando por propia iniciativa—, los jovencitos se quejan por las 'injusticias'. Por ejemplo, las dos veces que viajamos al extranjero, protestaron porque ellos nunca han salido del país. Cada compra de un electrodoméstico puede transformarse en drama. Se quejan porque nosotros tenemos horno de microondas y ellos no, o porque mi ropa es demasiado elegante, y exigen a su padre que, si él compra algo para nuestra casa, tiene que comprar lo mismo para la de ellos. Hasta han llegado a decirme que yo le hago gastar demasiado dinero a mi marido. Les hemos explicado que Gustavo no es responsable del bajo nivel económico de su ex mujer —sobre todo porque ella no busca un empleo mejor— y que yo aporto la mayor parte de los fondos necesarios para mantener nuestro estilo de vida, pero me doy cuenta de que no nos creen."

Una aclaración a fondo de las causas en la diferencia de calidad de vida entre ambas casas suele resultar útil. Puede explicárseles a los hijos que dos adultos que trabajan pueden vivir mejor que uno solo, aunque este último reciba ayuda de su ex cónyuge. Es importante señalar la participación de la nueva pareja en la economía familiar, para deshacer las fantasías posibles sobre "la mujer que gasta el dinero de papá". Si piensa que las quejas de los hijos provienen de la influencia del otro cónyuge sobre ellos, no la combata frontalmente: limítese a continuar con su conducta habitual; a medida que los niños crecen, van comprendiendo mejor la realidad.

• ¿A qué hora te lo devuelvo?

El paso de la casa de uno de los progenitores a la del

otro suele implicar cierto grado de tensión, tanto para los niños y adolescentes como para los adultos. Para los padres no custodios, la terminación del fin de semana suele acarrear un desgarramiento, dado que la ilusión de "familia completa" mantenida durante dos días se desvanece. Para los niños, se repite el proceso de adaptación a distintos padres, casa, hábitos y amigos inherente a los cambios de hogar.

Estos períodos de transición pueden transcurrir más fácilmente si se considera que son breves y limitados en el tiempo. Tanto los niños como los adultos acabarán por adaptarse, del mismo modo que usted mismo lo hace cuando cambia su casa habitual por la de fin de semana o vacaciones, o cuando va a una fiesta en casa de amigos, así que relájese y no le adjudique importancia al mal humor o a la descortesía de esos momentos.

Para muchos niños, ser "entregados" por un padre al otro cuando son pequeños, o llegar por su cuenta a la *otra* casa cuando son mayores, resulta difícil o angustioso en los primeros instantes, igual que para los adultos. Las transiciones de los fines de semana suelen no sólo implicar el complejo ajuste de los cronogramas de padres, madres y sus respectivas parejas; también son momentos en los que salen a relucir los celos, rencores y conflictos aún latentes.

"Durante años enteros, un domingo a la noche de cada dos, Andrés y yo íbamos a buscar a sus hijos a casa de la mamá, donde pasaban un fin de semana por medio. Andrés aparcaba el coche a media calle de la puerta, y yo me quedaba dentro mientras mi marido tocaba el timbre y cambiaba algunas palabras con su ex mujer, y los niños recogían sus cosas. Después, los tres subían al coche y pasábamos algunos momentos tensos: los niños guardaban un terco silencio; si les preguntábamos qué tal habían pasado el fin de semana, nos respondían con monosílabos. Un rato después, acordábamos ir a cenar fuera o comprar unas pizzas, y lentamente íbamos volviendo a la normalidad. A medida que pasaba el tiempo y se repetía el mismo rito, la situación me parecía cada vez más ridícula: en fin de cuentas, yo cuidaba a los hijos de esa señora durante la mayor parte del tiempo, ¿por qué entonces no bajar del coche, saludarnos, comentar la evolución de los niños, como personas civilizadas? Se lo planteé a Andrés, y él estuvo de acuerdo en presentarnos; sin embargo, ella se negó. Un domingo, cuando mi marido aparcó el coche frente a la casa de su ex mujer, bajé con él decidida a que nos dejáramos de tonterías. Ella me vio cuando entreabrió la puerta, la abrió justo lo suficiente para dejar salir a los niños, y volvió a cerrarla de un portazo. Ese fue mi último intento de civilidad. Poco después, los niños nos dijeron que ya eran lo bastante grandes para volver a casa solos, y estuvimos de acuerdo con ellos", expresa Magdalena, aún ofendida.

Si los adultos han logrado elaborar la separación y el nuevo matrimonio, y se sienten cómodos en su nueva vida, los niños logran atravesar estos momentos sin mayores dificultades. Pero si llevar a los hijos a casa de su ex o ir a buscarlos allí implica momentos desagradables, como en el caso de Magdalena y Andrés, algunas sugerencias pueden ayudarle a pasar el mal trago:

— Es conveniente que el progenitor encuentre un territorio neutral para reunirse con sus hijos, de modo de facilitar la transición y aliviar la tensión que la acompaña. Por ejemplo, si los niños pasan el fin de semana con él, puede ir a buscarlos a la escuela el viernes por la tarde. O citarlos en una heladería, un centro comercial o un cine, para compartir una actividad antes de llevarlos a su casa. De este modo, se evita también una mudanza demasiado brusca de un hogar al otro.

— Si los ex esposos se sienten incómodos cuando se encuentran, o cuando ven a la nueva pareja de sus ex, no hay ninguna razón para no reducir el contacto a un intercambio de saludos corteses. Quizá parezca más adecuado, pasar a la casa y tomar un café, pero en los casos en que esta situación resulta perturbadora, es preferible abreviarla.

— Algunas madrastras y padrastros creen que cuando los hijos de la pareja llegan a su casa, su deber es recibirlos en la puerta con los brazos abiertos. Esto es simpático, sin duda, pero cuando los niños van acompañados por el *otro* progenitor, el encuentro entre madre y madrastra —o padre y padrastro— puede generar tensiones. En este caso, es preferible que los padrastros esperen al niño dentro de la casa; la transición entre ambos mundos se efectuará más fácilmente.

— Algunas veces, los ex esposos no soportan hablarse ni

encontrarse, pero estos sentimientos no se hacen extensivos a sus nuevos cónyuges. En tales casos, la madrastra o el padrastro pueden encargarse de los acuerdos concernientes a las idas y venidas de los niños entre los dos hogares.

Los acuerdos referidos a los cambios de casa de los niños en el fin de semana tienen complicaciones adicionales; frecuentemente, el ajuste de los programas de las dos o más familias implicadas suele resultar complejo. No todos los padres son puntuales, ni todos aceptan planificar sus actividades con tiempo suficiente como para permitir que los demás planifiquen las suyas.

Carmen, atractiva directora de un jardín de infantes, refiere: "Todos los fines de semana teníamos problemas. Teóricamente, mi ex marido tenía que pasar a buscar a mis dos hijos —de seis y ocho años— los sábados a las nueve de la mañana. Además, él exigía que los niños estuvieran completamente listos cuando llegaba: no quería pasar a esperarlos, dado que no le gustaba encontrarse con Augusto, mi segundo marido. Augusto aprovechaba esa mañana para buscar a su propio hijo adolescente en casa de su ex mujer, y generalmente planeábamos que yo me reuniera con ellos para hacer alguna actividad juntos, como andar en bicicleta por el parque, ir de compras o visitar exposiciones. Sin embargo, estos planes tan bien organizados se frustraban generalmente por causa de mi ex marido: a menudo llegaba una o dos horas más tarde, mientras mis hijos lo esperaban pacientemente, vestidos y peinados, con sus bolsitas en la mano, y yo me desencontraba con Augusto y su hijo. Me enfurecía, por los niños y por mí misma. Finalmente, hablé con los niños y ellos me dijeron que no les molestaba esperar a su papá; si yo no quería esperar con ellos, podían quedarse en casa de una vecina hasta que fuera a buscarlos. Así lo hicimos algunas veces y resultó bien. En otras ocasiones me quedé con los chicos, pero los dejaba jugar tranquilos hasta que aparecía el padre, momento en que lo hacía esperar unos minutos, mientras les cambiaba la ropa. Gradualmente, viendo que ya no lograba alterarme, mi ex marido fue suspendiendo el juego de las llegadas tarde, y los fines de semana se normalizaron".

Ciertos padres tratan de reducir las fricciones con sus ex cónyuges haciendo que sus hijos se encarguen de arreglar con ellos los lugares y horarios de encuentro. Algunas veces resulta útil escuchar las sugerencias de los niños, como en el caso de Carmen. En el caso de los hijos adolescentes, esta solución también puede funcionar bien, dado que ya no necesitan ser traídos ni llevados. Sin embargo, es necesario evaluar cada caso cuidadosamente: cargar a los hijos con la responsabilidad de los acuerdos con los *otros* padres puede significar colocarlos en el medio de sus progenitores, situación que otorga a los niños un poder que quizá no siempre utilicen positivamente.

IDEAS PARA COMPARTIR

- Si usted es el progenitor no custodio, el que recibe a los hijos "de visita", recuerde que es inútil y contraproducente tratar de concentrar toda su paternidad en un solo fin de semana. Cualquier niño o adolescente puede sentirse presionado, y reaccionar con rechazo o, por el contrario, sentirse tentado a manipular a su favor la excesiva ansiedad detectada en el padre. El simple hecho de ESTAR con el progenitor, o de compartir con él actividades simples, puede tener sobre los hijos más efectos positivos que si se lo cubre de atenciones desmedidas.

- Organice con los niños o adolescentes un lugar que les sea propio dentro de la casa: puede ser su cuarto, decorado por ellos, o simplemente un rincón o un armario donde guardarán sus pertenencias, sin que ninguna otra persona esté autorizada a tocarlas.

- No trate de que todos los miembros de la familia estén juntos todo el tiempo: se generan así situaciones forzadas e irritantes. En cambio, trate de crear momentos de encuentro entre las diferentes personas: los miembros de la pareja pueden salir a cenar solos, visitar amigos para tomar un café; padres e hijos pueden compartir una charla, juegos o una salida; padrastros e hijastros, por su parte, se conocerán mejor si salen juntos —sin el progenitor— al cine o a la heladería de la esquina, o si comparten un proyecto, por ejemplo construir la caseta del perro o coser las cortinas de la cocina. Tampoco es necesario hacerlo concentradamente en dos días, sino a lo largo de una sucesión de fines de semana.

- Tome la iniciativa de proponer modificaciones en las relaciones y hábitos familiares en vez de quedarse esperando, con rabia y frustración, que los otros empiecen a cambiar.

- Si sus hijos están resentidos porque en su casa el nivel de confort es superior a la del otro progenitor, explíqueles con sinceridad las causas de las diferencias económicas entre ambos hogares, sin culpar a su "ex" por ello.

- Trate de reducir el estrés de la transición del "hogar de la semana" al "hogar del fin de semana", proponiendo actividades intermedias entre una casa y la otra; reduzca el contacto entre los ex cónyuges si crea tensiones, y busque soluciones flexibles a la adaptación de los cronogramas de las distintas familias implicadas.

- Si los niños se muestran tristes luego de una visita al otro progenitor, o si lo critican o se quejan de no ser bien tratados en su casa, es conveniente discutir el problema entre los adultos involucrados, y sólo después hacerlo con los niños. Utilizar a los hijos como mensajeros entre los dos hogares es contraproducente, tanto para ellos como para los adultos.

- Al igual que los padrastros que conviven diariamente con los hijos de su pareja, los padrastros de fin de semana no deben insistir en los aspectos disciplinarios, al menos hasta que los hijastros los hayan aceptado. Es mejor dejar que los progenitores manejen la disciplina hogareña: sus reglas serán admitidas más fácilmente.

- Si en su hogar hay dos grupos de hijos de diferentes matrimonios, es posible que sea necesario establecer diferentes reglas y normas para cada grupo, al menos durante los primeros tiempos, hasta que la situación se amalgame naturalmente.

- La buena relación entre los hermanos no depende sólo de los lazos de sangre que los unen. Los hijos de uniones diferentes que conviven, permanente o periódicamente, en las familias de nuevo matrimonio, forman con frecuencia vínculos sólidos de afecto recíproco. Trate de no interferir en ellos.

- Si su pareja tiene conflictos graves con sus propios hijos, evalúe cuidadosamente la situación antes de decidir si interviene o no. Algunos problemas entre padres e hijos deben ser resueltos por ellos mismos, eventualmente con la ayuda de un psicoterapeuta o un *counselor*. Los menos graves pueden admitir la colaboración de una pareja bienintencionada, pero sólo si se tiene la certeza de que no será recibida como una invasión.

- Escuche con atención los sentimientos expresados por las personas de su familia sin minimizar su importancia ni tratar de convencerlas de que deben sentir de otra forma. Aprenda a distinguir la diferencia entre sentimientos y conductas.

- Cada persona, desde su más tierna infancia, tiene maneras propias de reacción ante los acontecimientos cotidianos. Padres y padrastros aprenden que la misma reprimenda o el mismo tipo de cuidado cariñoso despierta reacciones diferentes en cada hijo. Si la reacción de uno de sus hijastros ante un regalo, caricia o reprobación es distinta de la que usted esperaba, no se sienta ofendido ni personalice la situación.

- Si usted, como madrastra o padrastro, vive situaciones desagradables durante los días de visita de los hijos de su pareja —hostilidad manifiesta, exclusiones, peleas, etc.— que no han podido solucionarse a pesar de los esfuerzos de los adultos, recuerde que no está obligado\a a compartir TODAS las actividades del fin de semana con su pareja y sus hijos. Si tiene hijos propios, salga con ellos y aproveche para lograr los momentos de intimidad que necesita. Si no los tiene, emplee ese tiempo en usted: frecuente a los amigos a los que no ve durante la semana, vaya a ver esa película o exposición que le interesa, practique su deporte favorito... Su imaginación será su mejor consejera.

9

Zonas de riesgo

En la geografía cotidiana de las nuevas formaciones familiares existen hendiduras, imperfecciones que dan origen a verdaderos terremotos, golfos de tormentas que es preciso sortear. Acontecimientos que en las familias intactas son fuente de alegría despreocupada —cumpleaños o celebraciones escolares, vacaciones, nacimiento de nuevos hijos—, suscitan pánico en las parejas de nuevo matrimonio si los papeles de los miembros de la familia no se han definido aún claramente. En este capítulo se describen algunas de estas zonas de riesgo, y se sugieren tácticas de supervivencia.

¿*PUEDO INVITAR A* TODOS *MIS PADRES A MI CUMPLEAÑOS?*

"Después de cinco años de casados, creo estar en condiciones de afirmar que mi marido, sus dos hijos, nuestra niña de tres años y yo formamos una verdadera familia. Sin embargo, varias veces al año somos presas del pánico: para Navidad y Año Nuevo, algunos cumpleaños, fiestas escolares... En cada ocasión discutimos si invitamos o no a la madre, quién va con ellos a la entrega de premios, con quién van a pasar las fiestas los niños. Hemos experimentado con diferentes soluciones, pero ninguna deja satisfecho a tódo el mundo", suspira Valeria, una rubia profesora de Filosofía y Letras.

Los eventos conmemorativos, las fiestas anuales, los funerales, casamientos, celebraciones escolares, cumpleaños o cualquier otra ocasión que pueda dar lugar a la oscilación de los hijos entre los dos progenitores, a enfrentar a los ex esposos en el mismo terreno o a estimular la rivalidad entre padres y padrastros, son vividos en las familias de nuevo matrimonio con ansiedad y miedo. Si los ex cónyuges han asumido el divorcio y mantienen una relación amistosa, y si las nuevas parejas de éstos son aceptadas sin rivalidad, tales acontecimientos no presentan mayores problemas. Pero si los rencores y celos están todavía latentes, se generan dudas y discusiones sobre a quién invitar o excluir, con quién compartir una mesa, cómo y con quién organizar una fiesta de cumpleaños. "A veces pienso que sería un alivio la existencia de un manual de protocolo para las nuevas familias. Saber que estas cosas están pautadas, y que no tengo demasiado que decidir al respecto, me haría sentir mucho más seguro", dice Juan, el marido de Valeria.

Las celebraciones conflictivas pueden clasificarse en privadas, como Navidad, Año Nuevo, festividades religiosas, cumpleaños "comunes", y públicas: casamientos, comuniones, cumpleaños importantes, como los de quince años, Bar Mitzvás y Bat Mitzvás para los judíos,[3] fiestas escolares.

. Celebraciones privadas

En general, la organización de las festividades privadas se enmarca —más o menos explícitamente— dentro de los acuerdos de tenencia y visitas entre los ex cónyuges. Usualmente, se llega a un acuerdo para que los hijos pasen Navidad con uno de los progenitores y Año Nuevo con el otro, o que cada año pasen las fiestas con un progenitor distinto. De esta manera, se distribuyen más equitativamente las celebraciones familiares, como Navidad, y las sociales, como fin de año.

---

[3] El Bar Mitzvá es una ceremonia religiosa que se realiza cuando el varón judío cumple trece años. Simboliza el pasaje a la mayoría de edad religiosa y espiritual, así como su capacidad para formar su propia familia. En los últimos años, se ha comenzado a celebrar una ceremonia similar —el Bat Mitzvá— cuando las niñas judías cumplen doce años.

Existen conversaciones y experimentos entes de llegar a estas soluciones, y en algunos casos surgen rivalidades o celos, pero lo más común es que, a partir del segundo año, las familias se instalen en una cómoda rutina en lo que concierne a los festejos privados. En algunas ocasiones, sin embargo, surgen dificultades imprevistas, como en el caso de Estefanía:

"Desde que Emir y yo nos divorciamos, quedó acordado que las mellizas pasarían Navidad con él y fin de año conmigo. Esta no fue la mejor de las soluciones: provengo de una familia católica, en la que Navidad tiene un sentido más religioso que social, y mis padres lamentan profundamente que las chicas no estén con nosotros en estas ocasiones. Además, Emir es musulmán, y la Nochebuena no tiene ningún sentido para él. Pero así fue como los abogados negociaron las cosas, y en el tumulto del divorcio no presté atención a lo que parecía un detalle insignificante. La cuestión se volvió problemática a partir de mi casamiento con Tomás. No sólo él respeta profundamente la Navidad en su sentido religioso y espiritual, sino que además su cumpleaños es el 24 de diciembre. Como está muy apegado a las mellizas, le gustaría que estuvieran presentes ese día. Durante un par de años, las fiestas siguieron su curso habitual, pero el anteaño pasado, Tomás propuso que invirtiéramos el orden de siempre. Emir se negó, pero las niñas dijeron que estarían con su padre hasta medianoche, y que luego vendrían a casa para festejar con nosotros. No lo hicieron, porque mi ex marido y su mujer no lo permitieron. De modo que, como actualmente le he entablado un juicio para que me pague la suma de alimentos para las hijas que nunca me pasó, y para revisar los acuerdos de tenencia, incluí una cláusula al respecto en mi demanda", confiesa Estefanía.

En lo que se refiere a las fiestas de cumpleaños, habitualmente se multiplican por dos, una en casa del padre y otra en la de la madre. Cuando las relaciones entre los ex son amistosas, es corriente que se invite al otro a que comparta la organización del festejo, o al menos a que asista a él. Pero si las tensiones aún subsisten, es mejor abstenerse de ello. Los niños prefieren tener dos fiestas, recibir doble número de regalos, y el cariño de dos grupos familiares, a soportar las discusiones y querellas inherentes a la organización de su fiesta de cumpleaños entre sus padres y las nuevas parejas de éstos.

La historia de Luis, un médico de 43 años, es significativa: "Durante dos años, después de que Gabriela y yo nos divorciamos, continuamos celebrando juntos el cumpleaños de Miguel. La separación se había hecho de común acuerdo y no veíamos razón alguna para que nuestro hijo no pudiera pasar su cumpleaños con sus dos progenitores. Sin embargo, todo cambió cuando inicié una relación de pareja con Susana. Creo que Gabriela no toleró bien que Miguel y Susana establecieran una relación afectuosa, lo que se manifestó en ocasión del décimo cumpleaños de mi hijo. Hasta ese momento, habíamos celebrado fiestas caseras, con familares y algunos chicos, pero ese año Miguel quiso invitar a unos veinte amiguitos. Sugerí hacer la fiesta en mi casa del *country club*, pero Gabriela se opuso, y propuso la casa de sus padres, donde mi nueva mujer no tendría cabida. De ahí en más, la confusión no hizo más que aumentar. Detalles como a qué familiares se invitaría, el tipo de comida a servir, el grado de formalidad o informalidad del festejo, daban lugar a batallas sangrientas. Finalmente lo hicimos en el *country*, con la asistencia de los veinte chicos, los cuatro abuelos, y Susana y su madre. La tensión que flotaba entre los adultos habría sido capaz de volar un polvorín. Al final de la fiesta, Miguel tenía fiebre y estuvo enfermo dos días: no pudo soportar tantos vaivenes. La experiencia fue terminante; de ahora en más, tendrá dos fiestas de cumpleaños, al menos hasta que todos hayamos aprendido a comportarnos más civilizadamente".

Suele ocurrir que los hijos utilicen los acontecimientos festivos para poner a prueba la voluntad de los padres de permanecer separados, o para crear conflictos en la nueva pareja; después de todo, no hay que olvidar que la fantasía de volver a reunir a los padres es difícil de erradicar. En estos casos, es necesario que los adultos conserven la lucidez con respecto a sus objetivos y proyectos personales, y que se muestren firmes para defenderlos frente a los hijos.

"Manuela, la hija de Débora, mi mujer, nos dijo que no quería una fiesta para sus quince años; prefería en cambio que ahorrásemos el dinero que habríamos gastado en hacerla para regalarle un viaje a Europa cuando terminara el colegio secundario. Débora y yo accedimos inmediatamente, aliviados porque eso significaba que nos librábamos de los conflictos familiares que implicaba la organización de la fiesta, e impresionados por la madurez y el tacto que denotaba la decisión de Manuela", narra Felipe, un economista de 38 años. "Pero cuando faltaba un mes para el cumpleaños, Manuela llegó un domingo de la casa de su padre con la noticia de que quería una fiesta familiar con madre, padre, padrastro, los hermanos —su padre había tenido tres hijos en un matrimonio anterior—, tíos y el resto. Nos tomó de improviso, y prometimos pensarlo. Débora tenía en ese momento una pésima relación con su ex marido —quien jamás le pagó un centavo de lo convenido para la manutención de su hija— y sus hijastros le guardaban rencor por el divorcio, de modo que la fiesta no prometía ser alegre. Por otro lado, nos parecía injusto privar a Manuela de la compañía de toda su familia en una fecha importante. Para aumentar nuestras contradicciones, ella no dejaba de señalar que su padre sí deseaba que nos reuniéramos, y que los únicos hostiles a la idea éramos nosotros. Terminamos por consultar a un psicoterapeuta, quien nos ayudó a comprender que, en realidad, Manuela estaba poniendo a prueba la cohesión de nuestra pareja y tratando de reunir a sus padres, posiblemente instigada por su padre. Además, nos hizo representar mentalmente la hipotética fiesta, que imaginamos como un desastre: una larga mesa de personas que se miraban con desconfianza o rencor, y que apenas se hablaban. De modo que explicamos a Manuela que la situación entre su madre y su padre aún no permitía celebraciones conjuntas y que ese año tendría, como de costumbre, dos fiestas familiares de cumpleaños. Protestó, claro, pero me parece que en el fondo se sintió reconfortada al encontrarse con una situación de bordes claramente definidos."

• **Fiestas públicas**

Los festejos "públicos" provocan problemas serios en las familias de nuevo matrimonio y su entorno. Las dudas se plantean tanto a quienes invitan como a quienes deben decidir si aceptan o no. ¿Es prudente que una nueva pareja asista a una fiesta, si en ella estará presente el ex de uno de ellos? En caso de tener que elegir, ¿a cuál de ellos se debe invitar? En un cumpleaños importante, primera comunión o Bar Mitzvá, ¿cómo se organizan las mesas? ¿Los padres se sientan junto al niño, y los nuevos cónyuges en otra mesa, o todos juntos? Si se trata de una fiesta escolar, ¿los padres se sientan juntos, o aparte, con sus nuevas parejas?

Algunas de estas dudas se deben a la situación aún ambigua del nuevo matrimonio. A pesar de que por experiencia personal o ajena muchos saben que presenta características propias, tratan —aún con las mejores intenciones— de asimilarlo a un primer matrimonio, procurando fingir que todas esas irritantes complicaciones referentes a los ex esposos y las nuevas familias no existen. Esta confusión se ve reflejada también en los festejos institucionales: es usual que las escuelas inviten sólo a los padres a las fiestas de fin de curso, excluyendo a sus nuevos cónyuges.

"En la fiesta de fin de curso, en la escuela a la que van las mellizas nos habían reservado asientos contiguos a mi ex marido y a mí, mientras que tanto Tomás como la nueva esposa de Emir tuvieron que salir y esperarnos. Así que allí estábamos, sin hablarnos, sin mirarnos, mientras que yo me avergonzaba de la situación y me preguntaba si no hubiera tenido que adoptar una actitud más decidida para defender el papel de mi nuevo marido ante las autoridades escolares. Después de eso, Tomás jamás volvió a asistir a un acto escolar", comenta Estefanía.

Las situaciones difíciles no desaparecen cuando los hijos crecen. Suelen reavivarse, por ejemplo, en las fiestas de casamiento de los hijos adultos. Las decisiones sobre quiénes serán los padrinos, quién ocupará la mesa de honor, o qué nombres figurarán en las invitaciones, requieren diplomacia, negociaciones sutiles y mucha buena voluntad por parte de ambos ex cónyuges y sus actuales parejas. No todos los ex esposos son capaces de cooperar, ni siquiera por el bien de sus hijos. Esta falta de un frente unido puede provenir no tanto de la mala voluntad de uno de ellos o de ambos, sino de las mismas incompatibilidades personales o de enfoque de las situaciones vitales que contribuyeron a la destrucción de su matrimonio.

La mejor manera de evitar angustias, luchas por el poder y choques consiste en tratar cada acontecimiento importante con delicadeza, haciendo concesiones de vez en

cuando y recordando que el interés de los hijos está antes que las antiguas rivalidades. **En cuanto a la actitud del entorno social, las parejas de nuevo matrimonio pueden influir hasta cierto punto en él.** En los casos en que el divorcio y el nuevo matrimonio hayan sido bien asumidos, es posible demostrar a familiares y amigos que no hay problemas en ser invitados a la misma cena que un ex cónyuge, que se comparten acontecimientos familiares con los ex, o que no están obligados a tomar partido por uno u otro, en detrimento de la relación con los hijos. En algunos casos, se puede hablar con el director de la escuela de los niños, explicándole que éstos comparten su vida con una madrastra o un padrastro, y que no sería justo excluirlos de los festejos escolares.

VACACIONES A CUALQUIER PRECIO

"Cada verano, mi marido y yo alquilamos una casita en la costa por un mes, para pasar las vacaciones con nuestros dos hijos. Durante la primera semana, las peleas estallan por cualquier cosa, entre Carlos y yo, entre los niños, entre nosotros y los niños; después, las cosas van mejorando, y la última semana nuestras relaciones familiares son idílicas. Lo que sucede es que no estamos acostumbrados a estar juntos: en Buenos Aires, los niños se pasan el día entre el colegio y el club, y tanto mi marido como yo trabajamos desde la mañana hasta la noche. Siempre suspiramos por las vacaciones, para poder relajarnos y disfrutar de la compañía mutua, pero olvidamos que cada verano tenemos que aprender de nuevo a vivir juntos." La que así habla, Sara —una enérgica directora de escuela de 39 años—, tiene una familia intacta; su marido y ella forman una pareja en primeras nupcias armoniosa y llena de humor, y los dos niños son sus hijos biológicos. Ella no es una excepción: para muchas familias, las vacaciones son la ocasión para re-conocer a los otros miembros, y para interrelacionarse de manera distinta a la habitual durante el resto del año. Y este proceso no ocurre sin cierto grado de conflicto.

Ahora bien, si esto pasa en las familias intactas, en las de nuevo matrimonio, donde todo se vive más emocionalmente, las vacaciones suelen ser tan temidas como deseadas. Una de las dificultades comienza aún antes de hacer las maletas: la planificación de preferencias y cronogramas entre padres, hijos, ex cónyuges, hijastros y nuevas parejas.

"Una cosa es tomarse las vacaciones con los hijos propios, y otra muy distinta combinar fechas para hacerlo con 'los míos, los tuyos, los nuestros'. Porque si bien con 'los nuestros' no se plantea ningún drama, la cosa se pone densa cuando hay que concertar el cronograma con la madre de "los míos" y el padre de "los tuyos", sobre todo cuando los ex cónyuges miran con recelo cualquier propuesta que se les haga, simplemente porque lo propuso uno", escribe el humorista argentino Santiago Varela. Aun si los ex demuestran la mejor voluntad del mundo, las dificultades no merman: hay que considerar la disponibilidad de la nueva pareja de la ex esposa y la del ex marido, lo que se complica aún más si éstos a su vez tienen detrás sendos divorcios e hijos... "Con lo cual llegamos a la conclusión de que, para organizar quince días en Valeria del Mar, hay que convocar a una asamblea de padres en el estadio de River", concluye Varela.

• La clave es la planificación

La planificación cuidadosa de las vacaciones es necesaria en todas las familias, pero en las de nuevo matrimonio resulta imprescindible. *Una de las claves del éxito consiste en planificar con tiempo.* Dado que no sólo hay que acordar la disponibilidad de tiempo de la pareja sino también la de los ex cónyuges, así como con quién pasarán los niños las vacaciones, si las repartirán entre ambos padres y otros temas importantes, es conveniente empezar a pensar y conversar la cuestión mucho antes del verano. También es necesario considerar la resolución de los asuntos presupuestarios. (¿Quién financiará el viaje del hijo adolescente a la Cordillera? El padre con el que viven los niños habitualmente, ¿también tiene que pagarles las vacaciones, o éstas son responsabilidad del progenitor no custodio?) Tampoco pueden pasarse por alto los detalles administrativos, como la firma de poderes legales para que los hijos menores viajen al extranjero.

Madrastras y padrastros suelen verse atrapados en estas complejas negociaciones, y frecuentemente llevan las de per-

estar. Propuso sus normas (todos participarían en las tareas domésticas, la puerta cerrada del cuarto de los adultos significaba que no se podría llamar salvo en caso de catástrofe, los adultos tenían derecho a salir de noche, etc.) y alentó a los demás a que sugirieran las que consideraran necesarias. El grupo logró negociar así sus necesidades: Teresita acordó ayudar con las tareas de la casa y pidió más libertad para salir con amiguitos; Cynthia propuso cuidar a su hermana menor algunas noches, a cambio de poder regresar más tarde cuando salía con sus amigos; Martín sugirió que durante el día los cuatro se pondrían de acuerdo para hacer actividades conjuntas, pero que la noche pertenecía a los adultos.

"Las vacaciones de ese año resultaron sorprendentemente agradables. Por supuesto, no todo salió bien al primer intento: la primera noche, Teresita llamó otra vez a nuestra puerta, pero fui yo quien se levantó a atenderla; bastó que la mirara para que volviera a su habitación sin decir nada. También hubo que perseguirlas un poco para que participaran en la limpieza del apartamento, pero en general todo marchó mucho más armónicamente que un año atrás. Creo que influyó el hecho de que todos nos conocíamos mejor, pero sobre todo resultó decisivo que yo mostrara que no iba a ser manejada como una niña más", concluye Dora, satisfecha.

Al igual que en la convivencia cotidiana de las nuevas familias, adultos y niños entran en la cohabitación temporal de las vacaciones cargados con la historia familiar pasada. Los sobreentendidos —explícitos o implícitos— a los que estaban acostumbrados (por ejemplo que la madre realice todas las tareas del hogar, que el padre priorice la compañía de sus hijos a la de su mujer) ya no son válidos. Con frecuencia, se producen confusiones y desorden, generados tanto por cuestiones importantes —la autoridad de los adultos, las jerarquías familiares, las alianzas y exclusiones que se tejen— como por detalles aparentemente insignificantes. **Para llegar a acuerdos satisfactorios, es necesario negociar y renegociar con los distintos miembros del grupo, tantas veces como sea necesario.**

Vale la pena detenerse un momento en la negociación, tan necesaria en las familias de nuevo matrimonio, y que puede definirse como **el arte de lograr lo que uno quiere dándole al**

otro lo que él quiere. En otras palabras, implica que cuando se persigue un objetivo, es necesario tener en claro lo que uno quiere lograr y lo que está dispuesto a ceder a cambio. En una buena negociación, todos los miembros de la familia transigen un poco — ya que TODO NO SE PUEDE OBTENER— para conseguir al menos parte de lo que desean, como hicieron Dora y su familia. El límite forma parte de la convivencia humana.

• El infierno tan temido

Las vacaciones suelen ser utilizadas por los ex cónyuges para ventilar antiguos rencores, ya sea disputándose a los hijos o arrojándoselos mutuamente como si fueran paquetes. Las nuevas parejas pueden sufrir las consecuencias de estas manipulaciones, verdaderos disparos por elevación.

"Andrea, su ex marido y yo habíamos acordado que nosotros nos llevaríamos a los tres niños (de nueve, once y trece años) a las montañas durante la primera quincena de enero, y que el padre los llevaría con él a Uruguay durante la segunda", cuenta Esteban, un ingeniero de 39 años. "De este modo, nos asegurábamos a la vez de disfrutar de un par de semanas solos, y de que los niños conocieran mejor a su padre, al que apenas veían durante el año. El 12 de enero estaba yo en el jardín del chalet preparando un asado a la parrilla, cuando sonó el teléfono; era el padre de los niños, quien les anunciaba que finalmente había decidido pasar sus vacaciones en casa de un amigo en Río de Janeiro, por lo que no se los llevaría consigo. Los niños se limitaron a decir, sin rastros de ironía: 'Qué bien que papá se va a divertir un poco', pero el resto del mes estuvieron insoportables con nosotros, especialmente conmigo. Yo entendía que volcaban en mí los sentimientos de frustración y rabia provocados por el abandono del padre, pero eso no me ayudaba a sentirme menos furioso." El verano siguiente, Esteban y Andrea se aseguraron de que el ex marido de ésta se llevara a los hijos de vacaciones ANTES que ellos. "No me importa si él tiene otros planes más divertidos. Son también sus hijos, así que tendrá que asumir su responsabilidad paternal, y dejar de usarlos para sabotear mi segunda pareja", acota firmemente Andrea.

El establecimientos de firmes reglas de respeto a las decisiones de la pareja de nuevo matrimonio exige lucidez con respecto a las posibles manipulaciones de hijos y ex cónyuges. Para lograrla, la ayuda de un psicoterapeuta suele resultar muy valiosa, tanto en forma preventiva como para resolver conflictos ya instalados en el seno de la nueva familia.

• En la duda, absténgase

Algunas personas encuentran tan difíciles las vacaciones pasadas en compañía de sus hijastros, que prefieren abstenerse de ellas. Mora, la joven pediatra mencionada en el Capítulo 5, relata que después de varios años de vacaciones desastrosas con el hijo de su marido, y de innumerables intentos fracasados para mejorar la relación de éste con su padre, sus nuevos hermanos y con ella misma, desistió de la empresa. "Le planteé a mi marido que ya no soportaba más veraneos infelices, y que este año no participaría de las vacaciones. Propuse varias opciones: él podía veranear con su hijo mayor, mientras yo me llevaba a los pequeños conmigo; o yo veranearía sola, y él lo haría con su hijo y los nuestros; o los dos pasaríamos vacaciones separadas, él con su hijo y yo con los nuestros, y después nos iríamos de viaje solos. Finalmente, adoptamos una solución salomónica durante algunos años: mi marido pasaba una semana de vacaciones con su hijo, y luego se reunía con nosotros por el resto del veraneo. Luego, cuando el muchacho alcanzó la adolescencia, entró en abierto conflicto con el padre, y ya no quiso viajar con él. Ahora nos visita tres o cuatro días cuando veraneamos en la costa, alguna que otra vez. Hasta ahora, esta opción es la que funciona mejor para nosotros", explica Mora.

Forzar las situaciones, pretendiendo ser la "gran familia feliz" cuando alguno de sus miembros está firmemente decidido a impedirlo, no conduce a soluciones satisfactorias. En casos como el descrito, la negociación de opciones alternativas suele dar mejores resultados para la armonía de la pareja y del grupo familiar.

CUANDO LA FAMILIA SE AMPLÍA

En los matrimonios en primeras nupcias, el nacimiento o la adopción de los hijos consolida la relación de pareja; lo mismo ocurre en las familias de nuevo matrimonio. Sin embargo, la decisión de tener o no hijos *en común* suele resultar conflictiva en las familias en las que ya existen hijos de matrimonios anteriores. Si uno de los miembros de la pareja tiene hijos y el otro no, los problemas se incrementan. Si ambos tienen hijos, y son a la vez padres y padrastros, pueden comprender mejor los sentimientos y las experiencias del otro. Pero en el caso de que uno de ellos sea sólo madrastra o padrastro, quizá quiera tener hijos propios, al mismo tiempo que experimenta ciertas reservas al respecto. Emily y John Visher plantean: "Su pareja puede tener ya tres hijos y sentir que son más que suficientes, o tal vez dude sobre si realmente quiere un hijo, porque encuentra que su experiencia como padrastro no es lo bastante satisfactoria, o resulta realmente difícil. Se pregunta si ser padre será igual. Si su pareja no muestra mucho entusiasmo para añadir otro niño a la familia, usted puede oscilar entre querer y no querer un bebé". En asuntos de gran importancia como éstos, acudir a un psicoterapeuta o a un *counselor*, o a grupos de reflexión, puede ayudar a tomar las decisiones apropiadas a cada caso.

A veces la existencia de los hijos del otro conduce a uno de los miembros de la pareja a decisiones de las que más tarde puede arrepentirse: "Me casé con María Julia, quien ya tenía tres hijos pequeños de su matrimonio anterior, y fuimos a vivir todos juntos a un apartamento nuevo", cuenta Juan Carlos, un contable de 47 años. "La vida cotidiana se volvió agotadora; yo trabajaba febrilmente para mantener a la familia —el ex marido de mi mujer le pagaba una suma por alimentos, pero en forma irregular e insuficiente— y pagar la hipoteca de la vivienda. Cuando volvía a casa, tenía que ocuparme de los niños, porque María Julia, que también trabajaba, no podía con todo. Nos sentíamos constantemente exhaustos. En algún momento se planteó la cuestión de tener hijos propios, pero la rechacé; no podía imaginarme haciéndome cargo de un bebé en esas condiciones. Años después, cuando los chicos crecieron, me habría gustado tener un hijo nuestro, pero ya era tarde; mi mujer había pasado por una operación que le impedía quedar embarazada. Ahora pienso que privarme de tener un hijo propio por cuidar de los ajenos fue un sacrificio injustificado; a veces hasta siento rencor hacia mis hijastros por eso, aunque sé que ellos no tienen ninguna culpa."

Muchas personas que entran en familias de nuevo matrimonio, especialmente las mujeres, desean profundamente tener hijos propios, pero enfrentan poderosas dudas. La tarea de madrastra es intrincada, porque cuidar de hijos ajenos genera poco agradecimiento y muchos sentimientos negativos, tanto hacia los niños como hacia sí misma. Las mujeres que no tienen hijos propios carecen de experiencias maternales que las reaseguren sobre su capacidad para criar a los niños. Las madrastras jóvenes, en particular, tienden a sentirse ineptas, y piensan que realmente son incompetentes como madres, por lo que no deberían, en tal caso, arriesgarse a tener un hijo propio. Sin embargo, la mayoría de las que se han decidido favorablemente, relatan que el nacimiento del bebé facilitó la relación con sus hijastros. "Dejé de volcar todos mis sentimientos maternales en ellos y de intentar apropiármelos; al mismo tiempo, dejé de estar todo el tiempo encima de ellos, intentando que se portaran como yo quería. Las relaciones entre mis hijastros y yo se calmaron muchísimo", cuenta Celia, joven madre de un delicioso bebé pelirrojo, y madrastra de dos adolescentes.

En otros casos, la pareja decide de común acuerdo no tener hijos propios. Elizabeth Einstein escribe al respecto: "La tensión emocional de comenzar todo de nuevo con un bebé era más de lo que podíamos soportar. Pañales, andadores y *baby-sitters* eran cosa del pasado... Más importante aún, dado que todavía no nos poníamos de acuerdo sobre cómo criar a los hijos de cada uno (de matrimonios previos), ¿cómo íbamos a integrar una nueva adición? Nuestros hijos habían enfrentado ya suficientes inseguridades; un bebé podría aumentar su temor a ser remplazados... Así que, a pesar de que nuestros respectivos hijos nos alentaban a tener un bebé, decidimos que los cinco que teníamos eran suficientes".

Si la madrastra o el padrastro decide tener hijos propios, y ser al mismo tiempo padre y padrastro, deberá hacer esfuerzos suplementarios para demostrar a los hijos de su pareja que quiere a todos los hijos de la familia, y que continuará brindándoles atención y cuidados equitativamente. Ser madre o padre biológico por primera vez es una experiencia profunda y conmovedora, susceptible de alterar los sentimientos que se experimentan hacia los hijastros, aunque hasta ese momento la relación con ellos haya sido extremadamente afectuosa. Es difícil evitar que el bebé lo ocupe a uno, emocional y operativamente, de manera tal que la pareja y sus hijos no se sientan desplazados. Tanto el cónyuge como sus hijos necesitan la certeza de que el amor por el nuevo bebé no significa un rechazo hacia ellos. Sin embargo, para los flamantes padres o madres, tener que demostrar un amor equitativo hacia sus hijastros cuando acaban de descubrir la fuerza de los lazos biológicos, puede llevarlos a situaciones de tensión que se hacen sentir en el ámbito familiar.

A menudo, el nacimiento de un hijo en las familias de nuevo matrimonio consolida positivamente las relaciones entre padrastros e hijastros: existe ahora un lazo de sangre entre ellos. Como en cualquier tipo de familia, la unidad del grupo crece en tanto los niños mayores no se sientan excluidos ni descuidados en favor del recién llegado. Si se incluye a los hijos mayores en las tareas de cuidado del bebé, se alentarán en ellos los sentimientos de propiedad y de responsabilidad hacia el nuevo hermanito, y se facilitará la integración de toda la familia, que absorberá mejor al nuevo integrante.

No todos los hijastros aceptan alegremente que sus padres tengan hijos con su nueva pareja. Cuando Antonio, el historiador que cuenta su historia en el Capítulo 2, informó a sus hijos que Lucía, su segunda mujer, estaba embarazada, la respuesta de los niños fue: "¡Pero cómo puedes hacerle esto a mamá!". "Tuve que ponerme muy firme y explicarles que nuestro nuevo hijo no era algo que yo le infligía a mi ex mujer. Añadí que el divorcio era irreversible, les recordé que la relación con Lucía me hacía muy feliz, y les aseguré que mi amor por ellos no cambiaría. Lentamente, comenzaron a aceptar con expectativa el nacimiento de Arielito", refiere Antonio.

Para minimizar los conflictos, los psicoterapeutas aconsejan plantearse la posibilidad de tener un hijo en común sólo cuando la pareja está realmente afianzada. ¿Cómo se sabe cuando se ha llegado a esta etapa? Algunos signos indicadores son: la pareja ha podido integrar a los hijos de uno u otro cónyuge; el progenitor de los niños no pretende que su actual cónyuge sustituya al otro progenitor biológico, pero tampoco lo sitúa en el lugar de un extraño sin derecho alguno; se aceptado el hecho de que los hijos pertenecen a dos familias, cada una con sus propias pautas; y se admite que el divorciado mantenga un vínculo de coparentalidad con su ex cónyuge. Cuando se cumplen estas condiciones, los esposos están preparados para hablar de la posibilidad de tener un hijo en la nueva familia.

IDEAS PARA COMPARTIR

• No convierta todos los meses de diciembre en ocasión de discusiones sobre con quién van a pasar los chicos Navidad y Año Nuevo. Acuerde un orden —por ejemplo, Navidad con el progenitor con el que no viven, y fin de año con el otro, o que pasen las fiestas con un progenitor distinto cada año— y respételo, conservando, por supuesto, la necesaria flexibilidad.

• Recuerde que a medida que los hijos crecen, sus necesidades con respecto a las celebraciones en compañía de la familia cambian. A veces, los adolescentes pueden sugerir variaciones en la rutina habitual, o tal vez prefieran aprovechar las fiestas de fin de año para tomarse vacaciones con sus amigos.

• No existe aún un protocolo para nuevos matrimonios, de modo que cada situación debe ser evaluada cuidadosamente. Si las relaciones entre los ex cónyuges son cordiales, y si aceptan las nuevas parejas de sus ex, ambos pueden participar en la preparación y celebración de los festejos de sus hijos. Si por el contrario la presencia de ambos creará tensiones y reabrirá viejas heridas, es mejor que los niños tengan dos fiestas, una con cada progenitor y su respectiva familia.

• En caso de fiestas de origen religioso —comuniones, Bar Mitzvás, etc.— es prudente consultar con un sacerdote o rabino de confianza sobre la conducta a seguir con la "otra" familia. Estas personas están acostumbradas a ocasiones similares, y probablemente harán sugerencias útiles. En lo que se refiere a acontecimientos exclusivamente sociales, los organizadores profesionales de fiestas pueden ser una gran ayuda.

• Si sale de vacaciones con su pareja y los hijos de ésta por primera vez, los dos adultos son quienes deben acordar las normas de convivencia que consideren necesarias. Luego las negociarán juntos con los hijos. Propongan las suyas, y pídanles sugerencias. Recuerde que, si bien los compromisos y concesiones mutuas son necesarios en todas las familias, en las de nuevo matrimonio la negociación y renegociación son esenciales para llegar a una convivencia armónica.

- Si las vacaciones en compañía de sus hijastros son verdaderamente calamitosas, y no hay posibilidades de mejorarlas, usted no está obligado/a a sufrirlas. Su pareja puede dividir el veraneo, pasando parte de él con sus hijos y parte con usted. Si esto no fuera posible, por razones económicas u otras, planee su veraneo solo/a o con amigos. Es mejor volver a encontrarse en la ciudad descansados y relajados después de vacaciones satisfactorias, que volver juntos con una relación de pareja deteriorada.

- La cuestión de tener o no hijos en común debería ser debatida por la pareja antes del nuevo matrimonio. Si uno de los miembros planea tener un hijo, pero omite manifestarlo antes de casarse, puede encontrar resistencia por parte de su pareja, puede tener un niño no deseado por el otro progenitor, o bien la pareja puede deteriorarse hondamente porque las necesidades de uno de sus miembros no son satisfechas.

- La decisión de tener —o adoptar— hijos pertenece exclusivamente a la pareja marital. No corresponde pedir la opinión ni el permiso de los hijos anteriores.

- Tener hermanos y/o hermanastros para pelearse con ellos es una oportunidad única en la vida. En este campo de batalla se aprende, en un marco de relativa seguridad, a lidiar con la rabia y a negociar soluciones creativas para los conflictos cotidianos. Pero esto sólo ocurre cuando los padres y/o padrastros no intervienen demasiado.

- Tratar de ser el juez en las peleas de hijos e hijastros termina casi inevitablemente en injusticias. La única regla que debe respetarse es: "¡Nada de violencia!". Todos necesitan aprender a regular su propio enfado de modo de no dañar a nadie.

10

El síndrome de Woody Allen

Los hogares de las familias de nuevo matrimonio suelen estar mucho más impregnados de sexualidad que los de las familias intactas, entre otras causas debido a que las parejas viven su luna de miel prácticamente ante los ojos de los hijos. En los primeros matrimonios, marido y mujer tienen un período de soledad, anterior al nacimiento de los hijos, en el que desarrollar plenamente su vida sexual. Cuando los niños han crecido, las demostraciones sexuales se han calmado, al menos delante de terceros. Por lo demás, los hijos tienden a tomar el amor entre sus padres como implícito y asexuado, lo que contrasta vivamente con las escenas de caricias y arrumacos que contemplan entre su progenitor y su nueva pareja. En general, los nuevos esposos exhiben mucho más cariño físico que el que los hijos presenciaron en el hogar que se dividió: cuando la separación está precedida por conflictos y peleas, el marco no se presta a demostraciones de afecto y pasión en la pareja.

Con frecuencia, la pareja de nuevo matrimonio no dispone de mucho tiempo ni espacio para la soledad y la intimidad —sobre todo en los casos en que conviven permanentemente con los hijos de uno de ellos—, y por lo tanto sus sentimientos de amor y deseo mutuo resultan más evidentes cuanto menos satisfechos están. Hermanastros de distintos sexos y edades similares comparten de pronto una casa o un cuarto, y pueden sentirse mutuamente atraídos. Hijos adolescentes se encuentran en un plano de intimidad con atractivos padrastros o madrastras, tal vez poco mayores que ellos. La atmósfera de sexualidad que impegna estos nuevos hogares suele acarrear conflictos en las relaciones entre padrastros e hijastros, entre hermanastros, y en la misma pareja marital.

De Fedra a Lolita

De la mitología a las páginas policiales de los periódicos, de la literatura y el cine a la vida cotidiana, las relaciones sexuales entre los miembros de una misma familia ocupan un lugar nada desdeñable en la sociedad. Algunos estudios estadounidenses indican que el incesto se está incrementando en la población en general, particularmente entre padres e hijas y entre hermanos. Aunque existe una gran ausencia de información con respecto al incesto en las familias de nuevo matrimonio, una clínica californiana especializada en esta problemática asegura que el 50% de los casos que acuden en busca de ayuda se originan en las relaciones sexuales entre padrastros e hijastras. En este punto abordaremos las diversas situaciones que pueden llegar a producirse entre madrastra e hijastro, padrastro e hijastra, o entre hermanastros.

• El tabú del incesto

El tabú del incesto se debilita en las familias de nuevo matrimonio; los vínculos entre madrastras, padrastros, hermanastros, no son biológicos, y habitualmente tampoco han implicado la construcción de una intimidad fluida, desarrollada a través de años de relaciones familiares. En realidad, los únicos lazos compartidos en estas familias por los miembros sin parentesco de sangre son los de la convivencia, cotidiana o periódica. Estos —particularmente cuando son recientes— contienen un gran potencial para que los enamoramientos y las atracciones sexuales crezcan con el tiempo y la proximidad.

El sexólogo argentino León Gindin comenta: "En las estadísticas de violaciones a niños, aparecen en primer término los tíos, en segundo los abuelos, y en tercer lugar los padrastros. Por supuesto, es probable que se denuncie menos a los padrastros que a los tíos y abuelos: es muy difícil denunciar al marido de la madre."

Cuando los hijos crecen en una familia nuclear intacta, con padres y hermanos a los que han conocido desde su nacimiento, aprenden usualmente a manejar sus propios impulsos sexuales y a encuadrarlos dentro de lo socialmente aceptado. Una vez elaborado el conflicto edípico, los deseos sexuales se dirigen hacia el exterior del hogar: a maestros y amiguitos cuando los niños son pequeños, hacia sus pares y sus ídolos del deporte, cine o rock cuando alcanzan la adolescencia. Se ha introyectado el tabú del incesto, que prohíbe las relaciones sexuales entre parientes consanguíneos en primer grado y en algunas relaciones más extendidas, dependiendo de las religiones y de las normas sociales vigentes.

Los debates sobre el origen y la persistencia del tabú del incesto son infinitos. Se ha argumentado que existe una aversión biológica innata entre los familiares consanguíneos debido a los peligros de malformaciones o taras en los nacimientos que resultarían de estas uniones. Ciertas corrientes antropológicas plantean que la prohibición del incesto es una imposición puramente cultural, y que representa el pasaje de la animalidad a la humanidad, como una forma de preservar papeles diferenciados y estabilidad en las familias y tribus (aunque en algunas especies avanzadas de monos se encuentra también la prohibición de relaciones sexuales entre padres e hijos). Pero cualquiera sea su origen, este tabú reina prácticamente en todas las sociedades, y está reforzado por sanciones legales en casi todos los países.

Algunos psicoanalistas sostienen que el tabú del incesto tiene más posibilidades de violarse cuando los familiares han estado separados durante largo tiempo, o cuando no han compartido lazos emocionales estrechos, como en el caso de hermanos que no se han visto desde su niñez. La película británica "Cierra tus ojos", en la que un joven y su hermana mayor tienen poco o ningún contacto entre ellos, y cuyo reencuentro como adultos enciende una pasión tan desesperada como breve, es un ejemplo clásico de este tipo de situaciones. El mismo criterio podría aplicarse a las relaciones en las familias de nuevo matrimonio, donde los vínculos de parentesco son débiles, e hijastros, padrastros y hermanastros se sienten con frecuencia extraños con respecto a los otros miembros.

• La tragedia de Fedra

La frecuencia del tema del incesto entre padrastros e hijastros y entre hermanastros en la literatura, el teatro y el cine, es un indicador del interés que la sociedad experimenta por él desde hace milenios. La tragedia *Fedra*, basada en un antiquísimo mito griego, es una de las primeras obras teatrales que registra este ardiente problema:

Fedra provenía de una familia que había sufrido grandes sacudidas: era hija del rey Minos y de la reina Pasifae, quien años después engañaría a su marido con un hermoso toro blanco emergido del mar, y que daría a luz al Minotauro, monstruo con cuerpo de hombre y cabeza de toro. Adolescente aún, la hermosa Fedra se casó con Teseo, rey de Atenas. Este había tenido un hijo de su primera mujer, llamado Hipólito, que se educaba en la ciudad de Trecenas. Cierta vez que Teseo debía pasar algunos días junto a su hijo, llevó consigo a su joven esposa. Esta se enamoró del bello Hipólito a primera vista pero, queriendo ocultar su pasión a los ojos del rey, y temiendo por otra parte que el regreso a Atenas la privara de ver al joven, urdió una estratagema. Mandó construir un templo dedicado a Venus sobre un monte cercano a Trecenas —que recibió el nombre de Hipolitón—, donde concurría con frecuencia, con el pretexto de ofrecer sus votos a la diosa. De este modo, la enamorada reina conseguía ver al príncipe cuando éste se ejercitaba en una llanura vecina. Finalmente, incapaz de dominarse por más tiempo, Fedra terminó por declararle su pasión al hijastro, pero éste no correspondió a sus deseos; más aún, cuanto mayor era el amor de la reina, más aumentaba el desprecio de Hipólito. Fedra no pudo resistir este dolor y se ahorcó mientras su marido se hallaba ausente. Cuando Teseo regresó, encontró en la mano cadavérica de la desdichada mujer un mensaje que declaraba que Hipólito había intentado deshonrarla, y que ella no había hallado otro medio que darse muerte para liberarse de tamaña desgracia. El furioso y dolorido rey, en su afán de castigar al supuesto criminal, le llamó para que se presentara inmediatamente ante él. El príncipe, ignorando los designios de su padre, se apresuró a cumplir el mandato, pero debido a su precipitación soltó las riendas de sus caballos; éstos se desbocaron, el carro volcó y se rompió, e Hipólito —tal vez cumpliendo un secreto designio de la justicia divina— perdió la vida.

• **La traición de Woody Allen**

Siglos después, en 1992, los admiradores del director de cine Woody Allen se atragantaron con sus desayunos: hojeando sus periódicos, se enteraron de que la mujer del célebre actor —Mia Farrow, con quien llevaba diez años de relación de pareja bajo distintos techos— lo acusaba de mantener una relación amorosa con su hijastra Soon-Yi. Woody Allen se había constituido involuntariamente en un modelo ideológico, estético, en una imagen de estilo de vida en blanco y negro, intelectual, progresista y típicamente manhattaniano. A sus seguidores les resintió la posibilidad de ese incesto como una traición. En todo el mundo se organizaron miles de seminarios, programas de televisión, paneles de expertos, debates radiofónicos, reportajes y encuestas, para tratar de decidir si las relaciones sexuales con una hijastra adoptiva, con la que no se convivía, podían o no ser consideradas como incesto.

Contrariamente a Fedra, Woody Allen no se autocondenó a muerte. En cambio, fue castigado con una andanada de publicidad desfavorable y, finalmente, con una respuesta negativa a su demanda legal de tenencia de tres de los hijos —uno biológico y dos adoptivos— que compartía con su ex mujer.

• **¿Incesto "real" o incesto técnico?**

Algunos terapeutas plantean que deben establecerse diferencias entre el incesto "real" —entre familiares consanguíneos primarios— y el "técnico", entendiendo por esto las relaciones sexuales entre parientes de vínculos más alejados, la familia extensa, familiares adoptivos, o vínculos por alianza, como el de hermanastros, padrastros e hijastros. Gran parte de los debates televisados, emisiones de radio y artículos de prensa que rodearon al "caso Woody Allen" giraban alrededor de este interrogante: las relaciones sexuales entre padrastros e hijastros —sobre todo si, como en este caso, la hijastra es adoptiva— ¿pueden considerarse incesto real, o solamente (¡!) emocional?

Exista o no una diferencia, lo cierto es que las relaciones sexuales entre las personas de una misma familia nuclear, sean o no parientes consanguíneos, implican graves conflictos para los protagonistas y para su entorno. Generalmente estas actividades precipitan las crisis familiares latentes, y llevan eventualmente a la disolución del grupo familiar o, por lo menos, a la expulsión de los miembros "culpables".

• El clima erótico

A pesar de que los estudios sobre el tema son aún escasos, parecería que las familias de nuevo matrimonio son menos proclives que las intactas a correr un piadoso manto de silencio sobre el incesto, y que concurren más a menudo a consultas con psicoterapeutas o asistentes sociales. Habitualmente, los problemas de incesto están relacionados con el clima fuertemente erótico del hogar, debido a la abierta expresión de los sentimientos afectivos y sexuales de los cónyuges. La sexualidad desplegada por las nuevas parejas estimula la curiosidad de los hijos, espolea su propia sexualidad, y provoca fantasías y sentimientos confusos acerca de las actividades sexuales de la pareja de adultos.

La entrada de un tercero o tercera en la escena familiar, genera en los hijos fantasías sexuales, ya sean debidas a celos, o a rivalidades con el progenitor o con su pareja. Un niño cuyos padres se separan piensa que la madre no es ya atractiva para el padre, y que la nueva mujer sí lo es. En consecuencia, adjudica al nuevo compañero o compañera, habilidades o atributos sexuales que la madre o el padre propios no tendrían. El niño puede llegar a pensar que su padre está "poco dotado", y que en cambio el nuevo compañero de su madre puede satisfacerla plenamente en la cama; o por el contrario, fantaseará con que su madre es una bruja sin atractivos y que la madrastra tiene mejores atributos eróticos.

Esta actitud implica la descalificación sexual de los padres biológicos, en comparación con los otros, percibidos como superiores desde el punto de vista erótico. Estas especulaciones generan una serie de fantasías en la mente de niños y adolescentes que, o bien lo enriquecerán para desprender su propio erotismo de las figuras paternas y dirigirlo hacia sus pares, o bien le asustarán, según cómo las instrumente.

186

• Curiosidades sexuales

Los hijos prepúberes y adolescentes suelen sentir una viva curiosidad por la sexualidad de la nueva pareja, y la manifiestan en diversas formas. "Mi hijastra de catorce años, Vicky, mostraba una gran ignorancia y candidez con respecto al sexo", cuenta Edith, una bonita escritora de novelas policiales, mientras revuelve pensativamente su café. "Como su madre, con la cual vive habitualmente, es una mujer muy conservadora y bastante recatada, creí que le recortaba información al respecto. Para compensar esta carencia, regalé a Vicky el mejor manual de educación sexual para adolescentes que encontré y me ofrecí a responder a sus preguntas. Una tarde de sábado, mientras arreglábamos juntas el jardín, me dijo que había leído "un poco" el manual, pero que tenía algunas dudas. Empezó con preguntas sobre la contracepción y los cuidados contra el SIDA, pero luego insistió sobre temas como el juego previo al acto sexual y las relaciones orales. Muy pronto me di cuenta de que sus dudas no eran teóricas, sino que lo que en realidad quería saber era cómo se desarrollaba la vida sexual entre su padre y yo. Rápidamente, interrumpí la conversación. Pocos días después tuve oportunidad de hablar con su madre —con la que mi esposo y yo mantenemos una relación cordial—, quien confirmó mis sospechas, contándome que ella le había proporcionado toda la información necesaria en ocasión de su primera menstruación y que, además, el colegio al que concurría ofrecía una serie de charlas muy completas sobre educación sexual."

• Celos en familia

Ciertos niños utilizan la sexualidad para competir con sus padres o padrastros del mismo sexo por el afecto y las caricias del otro progenitor. Alina, una bulliciosa publicitaria, relata que todos los viernes aterriza en su casa la hija de once años de su marido, desatando verdaderas tormentas pasionales: "Apenas llegada, se lanza sobre Héctor, lo acaricia, lo besa, se sienta en su regazo, le susurra al oído que lo ama. Estas escenas amorosas duran hasta que la devolvemos a casa de su madre, el domingo por la tarde. Mientras, yo me paso el fin de semana acomodando la casa y cocinando para la familia, terminando algún trabajo que traigo a casa, y tratando de no estallar. Le he dicho a Héctor que tiene que cortar en seco el comportamiento de su hija, más propio de una película condicionada que del afecto de una niñita hacia su padre, pero él se niega a reconocerlo y argumenta que tengo una mentalidad pornográfica. ¡YO! Si me permitiera a mí misma actuar de esa manera con mi propio hijo de trece años, al que adoro, mi marido sufriría un colapso nervioso. En tanto, tenemos frecuentes discusiones sobre el tema, ¡y lo peor es que nuestra propia vida sexual se está agriando tanto como mi carácter!"

• Diferencias de edad

La tendencia actual de formar pareja con compañeros de edad muy inferior (hombres maduros con jovencitas de la edad de sus hijos, mujeres en la cuarentena o cincuentena con hombres más jóvenes) estimula las fantasías en los hijastros. Es muy probable que los jovencitos de edades cercanas a las de sus padrastros o madrastras construyan un mundo sexual imaginario en el que incluyan a los compañeros de sus padres. "No puedo hacer el amor con mi mamá, pero sí con la mujer de mi padre", es un pensamiento presente en numerosos adolescentes y jóvenes.

Marina es una dibujante de historietas de 26 años, aunque su flequillo rubio, su silueta delgada y sus vaqueros manchados de pintura le den el aspecto de una graciosa adolescente. Hace dos años se casó con David, dieciséis años mayor que ella, y padre de dos niñas pequeñas y de un adolescente de trece años. "Cuando tuve a mi bebé, toda la familia se mostró encantada. Una tarde estaba amamantándolo en la sala, cuando entró mi hijastro. Me miró un buen rato, en silencio. En el momento en que cambié al bebé de un pecho al otro, se acercó y me dijo: 'Yo también quiero'. Sonreí, pensando que sufría un ataque de celos infantiles, pero cuando le vi la mirada me estremecí: no era la de un niño compitiendo con un bebé por la atención de la madre, sino la de un hombre que reclama una respuesta sexual", refiere la joven.

• Hijastros seductores

La literatura abunda en casos de madrastras y padrastros seducidos —con mayor o menor resistencia de su parte— por sus avispados hijastros. La conocida novela *Lolita* de Vladimir Nabokov, llevada posteriormente al cine, relata las desventuras de Humbert Humbert, un sofisticado y atractivo europeo, perdidamente enamorado de su pequeña hijastra norteamericana de 12 años. Cuando su esposa muere en un accidente de tránsito, Humbert elabora una sucesión de complejos planes para seducir a la pequeña Lolita pero finalmente, para su desconcierto, es ella la que toma la iniciativa que define la situación. Algunos pasajes del libro describen la viva atracción entre el hombre y la niña: "Haze (la madre) debía llevar a Lo al campamento casi de madrugada. Cuando me llegaron los numerosos ruidos de la partida, salté de mi cama y me asomé a la ventana. Bajo los álamos, el automóvil ya estaba con el motor en marcha... Mi Lolita, que había cerrado la puertezuela del automóvil y bajaba el vidrio de la ventanilla... interrumpió el movimiento fatal: Miró hacia arriba y... corrió hacia la casa. Haze la llamó furiosa. Un instante después, oí cómo mi amor corría escaleras arriba. Mi corazón se ensanchó con tal fuerza que casi estalló en mi pecho. Me sujeté los pantalones del pijama, abrí la puerta y simultáneamente Lolita apareció jadeante con su vestido dominguero, y cayó en mis brazos, y la boca inocente de mi adorada palpitante se fundió bajo la feroz pasión de unas oscuras mandíbulas masculinas."

Lolita no experimenta ningún escrúpulo en seducir a su padrastro, al que llama "papá" y al que reprocha su *ingenuidad*: "Rodó junto a mí, y su tibio pelo castaño rozó mi clavícula. Hice una mediocre imitación de alguien que se despierta. Permanecimos acostados, sin movernos. Después le acaricié el pelo y nos besamos suavemente. Su beso, para mi confusión, tenía algunos cómicos refinamientos de ondulaciones y sondeos. Como para comprobar si yo estaba satisfecho y si había aprendido la lección, se apartó para observarme. Sus pómulos estaban enrojecidos, el labio inferior le brillaba, mi desmayo era inminente. De pronto, con un ímpetu de rudo entusiasmo, puso su boca contra mi oreja... pero durante un rato mi mente no pudo analizar en palabras el cálido trueno de su susurro, y ella rió, y se apartó el pelo de la cara, y volvió a intentarlo, y a poco la curiosa sensación de vivir en un insensato mundo de sueños recién creado donde todo era lícito se apoderó de mí, a medida que comprendía lo que mi nínfula acababa de sugerirme."

Sin embargo, Lolita es casi un ejemplo de pureza si se la compara con otro precoz Don Juan, un niño de 12 años, de cara cremosa y bucles angelicales: Alfonso, protagonista de la novela erótica de Mario Vargas Llosa *Elogio de la madrastra*. Alfonso (Fonchito, como lo llaman cariñosamente su padre y Lucrecia, su madrastra, quien acaba de cumplir cuarenta espléndidos años) seduce a Lucrecia empleando una serie de armas irresistibles: la candidez, el llanto, las caricias, el sufrimiento y, por último, la amenaza de suicidio, "porque tú ya no me quieres, madrastra...Yo a ti te quiero mucho, madrastra. Mucho, mucho... Nunca más me trates así, como en estos días, porque me mataré. Te juro que me mataré".

¿Cómo responder a estos ruegos del niño, sino tomándolo en los brazos para consolarlo? Así, Lucrecia pierde por completo el control de sí misma y de la situación: "Y, entonces, fue como si dentro de ella un dique de contención súbitamente cediera y un torrente irrumpiera contra su prudencia y su razón, sumergiéndolas, pulverizando principios ancestrales que nunca había puesto en duda, y hasta su instinto de conservación. Se agachó, apoyó una rodilla en tierra para estar a la misma altura del niño sentado, y lo abrazó y acarició, libre de trabas, sintiéndose otra y como en el corazón de una tormenta."

Pero el propósito de Fonchito no es sólo seducir a su madrastra —tarea demasiado fácil con esa mujer ya hipererotizada por su permanente luna de miel con su flamante esposo— sino expulsarla de la familia y de la casa paterna. Para lograrlo, con perfecta y diabólica inocencia, cuenta a su padre las actividades "non sanctas" que ha estado llevando a cabo en su ausencia con su esposa, en el lecho conyugal. Por supuesto, el padre echa a su mujer, acusándola de corruptora, y Fonchito queda libre de proseguir sus ejercicios de seducción, continuando con la criada.

• ¡Evite el peligro!

A pesar de los atractivos que el tema ejerce entre los escritores, la mayoría de los profesionales de la salud mental considera las relaciones sexuales entre parientes cercanos —aún entre los no consanguíneos— como incesto, y como una forma de perversión, y aconsejan vehementemente evitarlas. **La realidad en nuestra sociedad es que algunos hombres y mujeres ESTAN prohibidos para otros, y que este tabú debe respetarse en aras del orden familiar y social.**

Los padres más prudentes evitan dar ocasión a fantasías sexuales entre padrastros e hijastros. Estefanía comenta: "Si bien mi ex marido, Emir, jamás tuvo contacto sexual con mis hijas mayores, sé que la fantasía estaba presente. Por eso les demostró tanta hostilidad cuando alcanzaron la pubertad, y les reprochaba continuamente que crecieran y 'se hicieran mujeres grandes'. En mi tercer matrimonio, si bien mi marido Tomás es un ángel, tomo mis precauciones: no sólo he prohibido a mis hijas que se paseen fuera de su cuarto a medio vestir, sino también que cuelguen su ropa interior en el baño o en lugares visibles para Tomás. Creo que en estos casos es mucho más sano prevenir que curar."

Afortunadamente, el incesto no es tan frecuente en la práctica. Tanto hijastros como padrastros reprimen constantemente esta escena. Según el doctor Gindin, el 99% se limita a fantasías más o menos inofensivas. El 1 o el 2% no pueden reprimirse, y éstos son los casos que aparecen en las crónicas policiales. Por otra parte, una misma persona, un mismo objeto de deseo, ejerce efectos positivos o negativos sobre quienes lo rodean según las fantasías de estos últimos. Por ejemplo, una madrastra seductora y sexy puede ser un buen modelo a imitar para su hijastra. Simultáneamente, es posible que despierte odio en su hijastro, quien se retraerá frente a ella para no dar rienda suelta a su deseo. O un padrastro que exprese su cariño físicamente, mediante abrazos y caricias, puede ser maravilloso para los hijos varones, pero hará que las niñas se asusten.

En todo caso, es aconsejable tratar de "refrescar" el clima erótico del hogar en presencia de hijos e hijastros, con el objeto de evitar complicaciones innecesarias en la ya compleja vida de la nueva formación familiar.

La atmósfera sexual que se respira frecuentemente en las familias de nuevo matrimonio es provocada también por la convivencia —diaria o periódica— de adolescentes de distinto sexo que se sienten mutuamente atraídos. Si la represión sexual es muy fuerte, los jóvenes pueden evitarse el uno al otro como si fueran terroríficos monstruos, en el esfuerzo de repeler la atracción que experimentan.

Gonzalo, un joven de 21 años, relata así su experiencia con sus dos bellas hermanastras adolescentes: "Cuando yo tenía trece años, mis padres se divorciaron y mi padre se casó de nuevo con María Laura, una viuda con dos hijas, dos y tres años mayores que yo. Los cuatro vivían en una pequeña casa con jardín, fuera de la ciudad, y yo pasaba con ellos todos los fines de semana. Al principio estaba encantado: había piscina, varios perros y gatos, mucho campo alrededor para explorar, y tanto la esposa de papá como mis hermanastras eran simpáticas, cariñosas y divertidas. Con el tiempo, sin embargo, comencé a pensar más y más en el sexo, hasta que se volvió casi una obsesión permanente. Muy tímido, no había tenido hasta entonces ninguna experiencia concreta, y creo que las mujeres, esos seres misteriosos, me asustaban un poco. Empecé a mirar cada vez con más deseo a mis hermanastras, chicas bastante bonitas y poco púdicas, que se paseaban por la casa en ropa interior, o en bikini, inconscientes (creo) de lo que me provocaban. Un sacerdote al que consulté me dijo que en mis pensamientos ya había cometido el incesto, de modo que me asusté mucho. Como cada vez que iba a casa de papá era imposible eludir a las chicas, empecé a espaciar mis visitas y luego dejé de ir. Papá se sintió muy mal, porque lo atribuyó a que yo no aprobaba su segundo matrimonio o a que estaba perturbado por el divorcio. No se trataba de eso, por supuesto —papá y mamá se habían llevado tan mal que la separación fue un alivio para todos— pero de ningún modo podía contarle la verdad."

Aunque la ley argentina autoriza el casamiento entre hermanastros, —de modo que no lo considera como incesto—, las situaciones eróticas entre los hijos del marido y los de la mujer añaden una tensión suplementaria a la ajetreada vida de padres, madrastras y padrastros, que no siempre saben qué camino tomar en esta espinosa situación. La psicoterapeuta norteamericana Esther Wald, especializada en familias de nuevo matrimonio, describe el caso de una familia que descubrió que Stan, el hijo de 16 años del marido, y Tracy, la hija de la misma edad de la esposa, mantenían relaciones sexuales. Por otro lado, sus compañeros de colegio no los consideraban hermanos, sino novios. La pareja de adultos —el señor y la señora Roberts— se había casado hacía un año, y vivía con las tres hijas de la mujer. Tres meses antes de la consulta con la terapeuta, Stan —quien no se llevaba bien con su padrastro— había solicitado y obtenido permiso para vivir con su padre. Los Roberts adultos se mostraron satisfechos cuando Tracy, la hija mayor, se hizo muy amiga de Stan y comenzó a incluirlo en sus actividades. Absortos en su propia —y relativamente reciente— relación, no se dieron cuenta de la intensidad de los lazos que unían a ambos jóvenes hasta que, en ocasión de una fiesta escolar, se enteraron del "noviazgo" de sus respectivos hijos. La reacción de los padres fue violenta; el señor Roberts se empeñó en que Stan regresara a casa de su madre, mientras que la señora Roberts pensaba que Tracy debía vivir con su abuela. Ambos progenitores se sentían furiosos porque el chico del "otro" le hubiera hecho "eso" a "su hija" o a "su hijo", y ninguno de los dos quería considerar otras alternativas posibles.

En este caso, la familia de nuevo matrimonio incluía a dos adolescentes de sexos opuestos que no tenían vínculos de consanguinidad entre sí, y que no habían crecido juntos, y que ni siquiera se habían visto siquiera hasta hacía poco tiempo. Cada uno de ellos era vulnerable a la presencia del otro, tanto por su propia y joven sexualidad, como por vivir en un hogar donde la flamante relación de la pareja adulta creaba un clima decididamente erótico. La reacción de la familia ante una relación que ni biológica ni emocionalmente puede calificarse de incesto, parece exagerada.

¿Es la expulsión de uno o de los dos "culpables" la única alternativa posible? La consecuencia habitual de este tipo de decisiones es el conflicto que estalla en la pareja, debido al resentimiento del progenitor que ha exiliado a su hijo. **A veces, es posible tratar de construir un ambiente más contro-**

lado, que desaliente las relaciones sexuales entre hermanastros. El debilitamiento del tabú del incesto entre hermanastros puede manifestarse tanto a través de relaciones sexuales, como quedar enmascarado detrás de un comportamiento hostil entre los jóvenes, como una forma de descargar la atracción sexual al mismo tiempo que se la niega. En todo caso, es mejor que la pareja de adultos trate de prevenir este tipo de experiencias, discutiendo las formas posibles de evitar el incesto, técnico o emocional, en la nueva familia.

¿EXISTE EL SEXO EN EL NUEVO MATRIMONIO?

Paradójicamente, a pesar de la atmósfera erótica que tiñe los primeros años de las familias de nuevo matrimonio, la vida sexual de la pareja puede volverse difícil. Como en toda pareja, los conflictos cotidianos repercuten en el dormitorio, disminuyendo el deseo, causando cansancio y estrés, generando rencores. En el tipo de parejas que nos ocupa, los conflictos más frecuentes e intensos tienen que ver con dos temas fundamentales: las relaciones con los hijos e hijastros y el manejo del dinero, que a su vez (como se verá en el próximo capítulo) está ligado a los acuerdos económicos que se hacen con respecto a los hijos de parejas anteriores.

Como se ha visto en otros capítulos, la presencia de los hijastros resulta más conflictiva para las mujeres que para los hombres, tanto en la mesa y en la sala, como en la cama. Es frecuente que las nuevas novias o las esposas recientes se sientan inhibidas sabiendo que los hijos de su marido están en el dormitorio contiguo, posiblemente despiertos y atentos a cualquier tipo de rumor inusual. Al principio, cuando la pareja todavía no se ha oficializado y está aún "escondida" de los hijos de uno u otro, o de los dos, su vida sexual no presenta problemas, o tiene los habituales en cualquier nueva relación. Pero cuando la pareja se hace "pública", se produce un momento de conflicto importante, tanto para los progenitores, las madrastras y los padrastros, como para los hijos.

• La primera vez

La primera vez que "el otro" o "la otra" duerme en la casa del progenitor es sumamente importante. Para evitar escenas como que un niño abra de golpe la puerta del dormitorio, encuentre a mamá durmiendo con alguien que no es papá, o a papá abrazado a una mujer que no es precisamente mamá, se sorprenda y resienta, es *necesario preparar a los hijos para ese momento.* La experiencia de numerosas familias indica que es mucho mejor explicar claramente a los hijos que uno dejó de querer al otro progenitor, que esa pareja se terminó, y que ahora —nuevamente soltero—, está buscando una nueva pareja, o tratando de construirla. Se puede aclarar que algunas veces el nuevo compañero dormirá en la casa, y que compartirá el desayuno con la familia. Si el niño pregunta si el padre tiene relaciones sexuales con su nueva novia, es mejor contestarle que sí, *pero solamente si lo pregunta*, y por supuesto sin entrar en ningún tipo de detalles. Es inútil cargarlo con información que no solicitó, o que puede causarle conflictos. Una explicación a tiempo suele evitar que los hijos pasen por vivencias traumáticas, porque para ellos no es una situación fácil de elaborar ver que el lugar que normalmente ocupaba el padre o la madre está repentinamente apropiado por otra persona.

Si se ha sido suficientemente claro con respecto al lugar que el nuevo compañero ocupa ahora en la vida y en el dormitorio del progenitor, su inserción en el grupo familiar se ve facilitada, lo que a su vez disminuye las tensiones que pesan sobre la vida sexual de la pareja.

Haydée, una rubia y sonriente madrastra satisfecha con su papel, relata que las hijas de su actual marido le dieron literalmente permiso para que se acostara con el papá. "Freddy y yo siempre habíamos sido muy cautos. A casi un año de salir juntos, yo nunca me había quedado a dormir en su casa, para no sobresaltar a sus dos hijas preadolescentes. El se quedaba a dormir en mi departamento algunas veces, cuando las niñas estaban en casa de la madre, pero jamás los fines de semana, que lo pasaban con él. Un lluvioso sábado por la noche, después de cenar y ver un vídeo con Freddy y las niñas, tomé mi abrigo para irme. La más pequeña, que tendría por entonces diez años, exclamó: '¿Por qué siempre tienes que irte a tu casa?

¿Por qué no te quedas a dormir con papá, como la novia del papá de Mariel?' Balbuceé algo ridículo: que no tenía camisón; la mayor, de doce años, respondió con una sonrisa cómplice que no me preocupara, que ella me prestaría uno. De modo que me quedé, y luego, poco a poco, la situación se regularizó. Creo que los hijos del divorcio han recorrido un camino, más largo de lo que creemos los adultos", termina riendo.

• Poniendo límites

No todas las parejas tienen la buena fortuna de Haydée y Freddy. En los casos en que los hijos no terminan de aceptar la vida sexual y afectiva de los padres —por ejemplo, en los casos de familias uniparentales que han convivido años sin que asomara una pareja marital, y en las que los hijos llegan a ocupar el lugar de parejas del progenitor—, suele suceder que los chicos intervienen directamente para interrumpir las actividades sexuales de la nueva pareja. Eugenia, una traductora pública de 40 años, recuerda aún con irritación los inicios de la convivencia con su marido: "Cada noche, cuando cerrábamos la puerta de nuestro cuarto, Irene, la niña de diez años, llamaba a su padre y se quejaba de que no podía dormir. Alejandro se levantaba e iba a su cama a contarle cuentos, a pesar de mis protestas. Al amanecer, la escena se repetía; Irene golpeaba nuestra puerta, llorosa, diciendo que tenía pesadillas, y otra vez Alejandro se mudaba a su habitación. Así, no había la menor posibilidad de tener relaciones sexuales: exactamente lo que quería la niña."

Este tipo de situaciones requiere que los dos adultos presenten un frente unido y firme frente a los hijos. Debe explicárseles —cuantas veces sea necesario— que el papá y su mujer, o la mamá y su marido, tienen derecho a la intimidad y a la privacidad, y que la puerta cerrada del dormitorio no debe golpearse salvo en caso de emergencias graves. Emily y John Visher, ambos padres de hijos de anteriores parejas, con los que convivían, habían puesto en la puerta de su dormitorio un cartel que decía: NO LLAMAR A MENOS QUE ESTEN SANGRANDO.

Para que las fantasías sexuales no saboteen la vida de las nuevas formaciones familiares, es necesario que los adultos puedan hablar entre sí de sus miedos y preocupaciones al respecto. Algunos temas posibles son el significado del incesto, los celos y la competencia entre los miembros de la familia, el objetivo de la formación de ESTA familia en particular, los límites y fronteras entre los miembros, y los derechos y deberes de cada miembro de la familia con respecto a los demás. Si se considera necesario, puede incluirse a los hijos en estos "seminarios internos".

• El bebé que cambia la historia

El nacimiento de un hijo de la nueva pareja suele saldar las dudas y fantasías de los hijastros. Queda claramente establecido que "esta mujer pertenece al padre" o "este hombre es de la madre". Ilusiones como "Voy a probar mi poder de seducción en este señor que ahora está con mamá, pero que sería mucho más feliz conmigo", suelen desvanecerse con la llegada de un bebé, que crea un lazo de sangre con los hijastros. El embarazo y el nacimiento liquidan estas fantasías: con ellos está claramente establecida, demostrada, sellada, la pertenencia mutua de la pareja.

Ramiro es un muchacho de 23 años, atractivo e inteligente. En la actualidad, habita un departamento contiguo a la pequeña galería de arte que dirige, pero sólo dos años atrás vivía aún con su padre y su joven madrastra. "Mis padres se separaron cuando yo tenía trece años. Viví con mi madre hasta terminar el secundario, pero cuando empecé a estudiar Bellas Artes, mi padre me ofreció compartir su casa. Acepté, pensando que era una buena ocasión para conocerlo. Papá era aún joven y atractivo, y frecuentaba un medio social que me encandilaba", relata. Dos años más tarde, el padre de Ramiro —quien hasta ese momento había mantenido una sucesión de relaciones efímeras— se enamoró de Mariela, una bonita compañera de estudios de su hijo, pocos años mayor que éste. "Papá y Mariela se casaron, pero yo no cabía en mí de la sorpresa. Al principio, me resentí con ella, porque pensé que me había usado como puente para llegar a mi padre, atraída por su dinero. Después me di cuenta de que realmente quería a papá. Ofrecí mudarme, pero mi padre se negó terminantemente. Me ocurrió una cosa curiosa: en la facultad nunca había considerado a

Mariela particularmente atractiva, pero en casa empezó a parecerme más y más hermosa, como si la iluminara una nueva luz. No sé si estaba enamorado de ella, pero buscaba las ocasiones de encontrarla a solas, de tener charlas íntimas, de salir con ella y sin mi padre. Sólo reaccioné cuando, un día, mi padre me telefoneó a la galería donde yo trabajaba para darme la buena nueva: iban a tener un bebé. Me sentí dolorido, frustrado y sordamente culpable. Pretexté la necesidad de asistir a un curso sobre arte medieval y conseguí viajar a Europa. Cuando regresé, diez meses más tarde, el bebé había nacido. De golpe, mis confusos sentimientos hacia Mariela cambiaron: la vi como una joven Madonna renacentista, ya no objeto de deseo, sino de veneración y respeto; era la mamá de mi hermanito y, por fin, *la mujer de mi padre*. Poco después, me fui a vivir solo. Nunca volví a tener fantasías con respecto a ella."

No todos los padrastros son Woody Allen, no todos los hijastros son Lolita o el pequeño Alfonso, ni todos los hermanastros son candidatos a protagonizar la película "Adiós, hermano cruel". La mayoría, aunque tengan ensueños sexuales con los familiares prohibidos por la ley y las costumbres ancestrales, no los traslada a acciones concretas. La clave consiste en distinguir la diferencia que existe entre las fantasías y los actos.

IDEAS PARA COMPARTIR

• En general, resulta beneficioso para los niños ver y experimentar que la pareja de adultos en la familia de nuevo matrimonio mantiene una relación amorosa. Sin embargo, es conveniente que la pareja mitigue sus demostraciones de pasión delante de los hijos: se puede ser tierno y afectuoso e intercambiar caricias sin evidenciar un alto voltaje erótico.

• Los adolescentes son particularmente sensibles a las exteriorizaciones de pasión entre los adultos, a causa de su propia sexualidad en brote. Si tiene hijos y/o hijastros adolescentes, tenga en cuenta este factor, y guarde las caricias sexuales para el dormitorio, con la puerta cerrada. La cocina NO es el lugar más adecuado cuando los hijos rondan por las inmediaciones.

• En las familias intactas, es posible que padres e hijos —sobre todo cuando éstos son muy pequeños— se bañen juntos, o que se circule por la casa en ropa interior. Pero en las de nuevo matrimonio, uno de los adultos no ha compartido la primera infancia de los hijos. Por lo tanto, es preferible que la madrastra o el padrastro se cuiden de excitar sexualmente a sus hijastros. Evite pasearse por la vivienda en ropa interior, o adoptar actitudes provocativas, incluso en presencia de niños pequeños del sexo opuesto.

• Recuerde que si sus hijastros se sienten sexualmente atraídos por usted, pueden responder a estos sentimientos —que los hacen sentir culpables y despreciables— retrayéndose o mostrándole una franca hostilidad, lo que repercute en el trastorno de la armonía familiar.

• Las caricias, abrazos y besos entre padres e hijos son tiernos y placenteros, pero cuando los niños alcanzan la pubertad —a partir de los 10 u 11 años— estas demostraciones pueden tomar un cariz sexual. Procure que las caricias entre padrastro e hijastra, madrastra e hijastro, o entre hermanastros, no desborden la ternura para entrar en el incierto campo del erotismo. Si se da cuenta de que las demostraciones de afecto de su hijastra adolescente le recuerdan peligrosamente a Lolita, corte la escena sin brusquedad. Propóngale una actividad alternativa, como ir a dar un paseo o tomar un helado, para enfriar un poco la atmósfera.

• Las niñas compiten frecuentemente con su madre por las atenciones de padres o padrastros, y los niños con los padres por el afecto de la madre o de la madrastra. Los adultos deben reflexionar conjuntamente sobre las formas de desalentar estos comportamientos. Si no lo hacen, es posible desembocar en serios conflictos entre los miembros de la pareja; a su vez, esto puede conducir a una relación más estrecha entre adulto e hijo, y conformar un círculo vicioso descendente, muy difícil de remontar.

- Es frecuente que se produzcan corrientes de atracción sexual entre padrastros e hijastros adolescentes o jóvenes. A menudo, el hijastro o hijastra es una versión más joven del hombre o la mujer que se ama, lo que añade un picante atractivo a la situación. Puede ocurrir entonces que cuando la pareja discute o se distancia, o cuando el progenitor se ausenta por largos períodos, el padrastro o madrastra acuda al hijastro/a en busca de consuelo. Trate de evitar que esto suceda, manteniendo una buena comunicación con su pareja, y recordando que de ningún modo debe hacerles confidencias sobre su vida marital a sus hijastros.

- Los adolescentes suelen adoptar actitudes sexualmente provocativas, paseándose por la casa en ropa interior, pidiendo ayuda para subir la cremallera de un vestido ceñido, o exhibiendo los músculos cuidadosamente trabajados por la gimnasia. Demuéstreles firmemente que esta conducta no le gusta, y ordéneles que se vistan. Como en muchos otros aspectos, los adolescentes suelen buscar que les pongan límites, y responden favorablemente cuando los adultos se lo hacen.

- En ocasiones, los adolescentes y jóvenes no consanguíneos de las familias de nuevo matrimonio se sienten mutuamente atraídos. Cada caso particular debe evaluarse, considerando sus edades, las relaciones entre los miembros de la familia, la historia familiar, el hecho de que se hayan criado juntos o no, y otros factores. Tal vez los adultos no sean capaces de hacer desistir a los jóvenes de esta relación, pero pueden decidir si la permiten o no en el seno del hogar. O, si los adolescentes no se han criado juntos, pueden no considerarlo como incesto. Si se trata de hijastros adultos, que no viven en casa de sus padres, éstos ya no pueden ejercer ningún control sobre su vida sexual.

- Defienda junto con su pareja su derecho a la privacidad y a la intimidad; manténgase firme para enfrentar las tentativas de invasión de hijos e hijastros.

11

Las cuentas claran conservan...
el amor

"Acordé una suma para mis hijos mientras mi ex esposa no trabajaba, pero ahora que tiene un buen empleo me parece injusto recortar el dinero a mi segunda mujer y a mis bebés para pasárselo a ella."

"Me siento tan exprimido económicamente por mi ex mujer que no me atrevo a ser sincero con mi actual esposa sobre el estado de mis finanzas."

"Mis padres, que adoran a mis hijos, están muy preocupados por el asunto de la herencia. Quieren dejar sus propiedades a los nietos, pero de ningún modo quieren que la hijita del primer matrimonio de mi mujer pueda heredar algo de ellos. Esto les hace adoptar actitudes divisorias con los niños, que nos traen muchísimos problemas."

"Mi segundo marido insiste en que todas nuestras cuentas bancarias sean conjuntas; así era en mi primer matrimonio, pero después del divorcio me quedé sola con mis hijos y me acostumbré a ser económicamente independiente. No quiero volver a la situación anterior."

"El padre de mi hijastro le hace llover regalos valiosos y le da mucho dinero, más de lo que mi mujer y yo gastamos para nosotros. Eso nos hace sentir inseguros y, en cierta forma, devaluados."

Estas y otras declaraciones dan testimonio de la importante incidencia de los arreglos económicos en las familias de nuevo matrimonio. Con frecuencia ocurre que los acuerdos a los que se llegó en el momento del divorcio ya no se adecuan a las circunstancias actuales de los ex cónyuges, y las consecuencias suelen perturbar —a veces dolorosamente— la vida cotidiana de las nuevas familias. ¡No en vano los abogados se refieren a menudo al nuevo matrimonio como "Monogamia sexual y poligamia económica"!

Este capítulo se refiere a los conflictos económicos que suelen interferir la vida de los nuevos matrimonios, y a los acuerdos posibles; y a los padrastros y madrastras que se encuentran en la situación de tener que mantener a los hijos de su pareja... y a veces, a los ex cónyuges de ésta.

LOS (DES)ACUERDOS ECONÓMICOS

En la mayoría de los países, la ley dispone que los padres mantengan a sus hijos —ya sean matrimoniales o extramatrimoniales— hasta la mayoría de edad. Las responsabilidades económicas del ex cónyuge incluyen sólo a los hijos, pero no a su ex mujer, excepto en los casos en que ésta se encuentre incapacitada para mantenerse[4]. Aunque estas disposiciones son claras, con frecuencia aparecen desacuerdos que repercuten negativamente en la vida de las parejas de nuevo matrimonio, sobre todo cuando se utiliza el dinero para transmitir mensajes que nada tienen que ver con lo económico.

Pocos años después de su casamiento, Lorena y César decidieron separarse. César había iniciado una relación amorosa con otra mujer, y no opuso ningún obstáculo a que su esposa mantuviera la tenencia de Rodrigo, su hijito de dos años, ni a pasarles una suma razonable en concepto de alimentos. Tiempo después Lorena, a la sazón una bonita profesora de literatura de 27 años, conoció a Rubén, un geógrafo poco mayor que ella, quien le brindó la comprensión y la ternura que no

---

[4]Esta disposición se refiere a la esposa a la que se estuvo unido en matrimonio legal. Por el contrario, no existe obligación alguna de pagar alimentos o prestar asistencia a una concubina.

había hallado en su ex marido. Se casaron tan pronto como pudieron asegurarse trabajo como investigadores y docentes en la universidad en la que ambos se habían graduado. "Realmente, todo se desarrolló de un modo idílico. Rubén y Rodrigo se entienden a las mil maravillas, y cuando nacieron nuestros dos hijos —un niño y un niña— Rodrigo sólo manifestó entusiasmo y cariño ante sus hermanitos", relata la joven. "Sin embargo, tenemos serias dificultades económicas: estamos trabajando para pagar algunas deudas y los niños saben que deben restringir su nivel de consumo. En este contexto César, a quien le va muy bien económicamente, me pasa bastante más de lo convenido para el niño, pero con la condición de que lo gaste sólo en él, lo que crea una diferencia de consumo entre mi hijo mayor y los menores, que se manifiesta en diferencias en la educación —mi ex le paga un colegio privado—, ropa, salidas, etc. La situación causa no pocos problemas en casa, tanto entre los chicos como con mi marido, que se siente disminuido al no poder proporcionarles lo que el padre de Rodrigo sí puede."

Este problema podría resolverse con facilidad, ahorrando los consiguientes conflictos hogareños y de pareja, si la madre estuviera en libertad de decidir cómo gastar la suma que le paga mensualmente su ex marido. En casos como éste, en los que el dinero es utilizado para lavar pasadas culpas (como la infidelidad de César hacia Lorena) o para hacer demostraciones de poder, es aconsejable que los adultos se reúnan a conversar sobre las disposiciones a tomar con respecto al bienestar de los hijos comunes. Si Lorena pudiera hacerle comprender a su ex marido que su hijo —ya preadolescente— se ve más perjudicado que beneficiado por el desequilibrio de capacidad de consumo con respecto a sus hermanos, es probable que él accediera a no poner condiciones para la administración de la suma destinada a la manutención del niño.

El manejo del dinero y la gestión de la economía hogareña conforman una de las cuestiones más espinosas que existen para todo tipo de familias; en las de nuevo matrimonio, es uno de los dos problemas fundamentales (el otro es la relación con los hijos de la pareja) que, si no es resuelto a tiempo, puede llevar a un segundo divorcio. Algunas veces, las mujeres y hombres que vuelven a casarse después de un divorcio no están tan dispuestos a confiar en su nuevo cónyuge como lo hicieron la primera vez. Un financista para el que su divorcio significó una merma considerable en su capital, se niega actualmente a sincerarse con su segunda esposa sobre el estado de sus finanzas, o sobre las propiedades que posee en el extranjero. "Mi primera mujer sabía todo sobre mí y mi economía, y prácticamente me 'limpió'. No soy tan tonto como para cometer el mismo error por segunda vez", proclama, sin considerar que su falta de confianza introduce una grieta en su relación de pareja.

Suele ocurrir también que las mujeres que se encontraban desconcertadas por su propia ignorancia sobre cuestiones financieras al producirse su primer divorcio, y que con gran esfuerzo se han vuelto autónomas y eficientes, no deseen retornar a una posición de relativa dependencia económica con su segunda pareja. Mariela comenta con orgullo: "Pasé de ser una joven perfectamente inútil cuando me divorcié, hace diez años, a convertirme en la dueña de un salón de belleza, con el cual mantengo a mis dos hijos. Ahora mi pareja actual, un divorciado y padre de un hijo, quiere que nos casemos. La cuestión económica me preocupa: nuestros estilos de consumo doméstico son muy diferentes, ¿cómo conciliarlos? ¿Debemos tener cuentas bancarias comunes, o yo puedo conservar las mías y hacer un aporte semanal para el manejo de la casa?". Mariela, como muchas mujeres que han trabajado desde hace años y son financieramente independientes, desea conservar su autonomía económica.

Algunas parejas han intentado resolver este dilema manteniendo economías separadas: cada progenitor cubre sus propios gastos y los de sus hijos. Sin embargo, este tipo de acuerdo tiene derivaciones negativas, dado que crea dos tipos de familia que conviven bajo el mismo techo, pero que se desencuentran en sus formas de consumo. Si los ingresos de ambos cónyuges difieren mucho entre sí, uno de los grupos puede acceder a ropa de marca, escuelas costosas y vacaciones en el Caribe, mientras el otro tiene que restringir sus gastos cotidianos y veranea en campamentos. Una solución viable para casos como éstos es que la pareja llegue a un acuerdo sobre cómo se manejará la economía doméstica. Por ejemplo, que cada cónyuge deposite semanal o mensualmente una suma —previamente acordada según la capacidad de cada uno o las necesidades del hogar— en una cuenta "de la casa", que incluya la manutención de los hijos de ambos, y que los dos mantengan cuentas separadas para todos los demás propósitos.

"Soy muy buena para la gestión de las finanzas, y cuando me casé con Gonzalo —lo que suponía convivir también con sus tres hijos—fue natural que me encargara de la administración de la economía doméstica", asegura Abigaíl, una eficiente economista. "Dividimos todos los gastos de la manutención del hogar en cuatro partes. Yo contribuyo con un cuarto, y Gonzalo con el resto. Cada mes, calculo los gastos fijos de la familia: vivienda, alimentos, etc. Luego, Gonzalo y yo formamos un fondo común, de acuerdo a las proporciones convenidas, y lo administro hasta fin de mes. Para todo lo demás, tenemos cuentas separadas." Abigaíl atribuye a "las cuentas claras" gran parte del éxito de su organización familiar.

PADRASTROS PROVEEDORES

La manutención de los hijos de uno de los miembros de la pareja puede resultar un asunto conflictivo. El caso de Noemí ilustra este punto: "Leonardo se divorció de su primera mujer hace ocho años, y casi inmediatamente nos fuimos a vivir juntos. Al principio, su pequeña empresa constructora tenía mucho trabajo, y Leonardo pasaba puntualmente la suma acordada a su mujer y a su hijo. Pero con la recesión económica del país, la construcción se resintió y los ingresos de mi marido disminuyeron brutalmente. Sin embargo, yo continúo trabajando bien en mi estudio de contaduría, y con eso mantengo el funcionamiento de la casa y proveo la mayor parte de los gastos de nuestros dos hijos. Al mismo tiempo, Leonardo gasta casi todo lo que gana en la manutención de su primer hogar. A veces —cuando estoy muy cansada o después de un día particularmente difícil— no puedo evitar sentirme resentida. La primera esposa de Leonardo no trabaja, y siento que quien la mantiene soy yo."

El caso de Noemí es mucho más usual de lo que parece a primera vista. Son numerosas las mujeres que soportan la mayor parte de la carga económica del hogar, dado que una proporción respetable de los ingresos de sus maridos son consumidos por los "alimentos" debidos a la familia conformada en un matrimonio anterior. Naturalmente, cuando se experimentan sentimientos de explotación, no se está muy bien dispuesta a construir una relación afectuosa con el hijastro, quien paga en este caso por los desacuerdos de los adultos. En el caso de que un hombre no esté en condiciones de seguir pagando a sus hijos la misma suma para su manutención, tiene derecho —desde el punto de vista legal— a una reducción de la cuota alimentaria en función de sus nuevas cargas de sustento. Si tiene hijos con su nueva pareja, dado que de acuerdo a la ley argentina todos los hijos, ya sean matrimoniales o extramatrimoniales, tienen iguales derechos, no se le puede exigir que deje a los hijos del segundo matrimonio en la pobreza para seguir manteniendo en el mismo nivel a los hijos del primero.

Sin embargo, es necesario analizar cada situación en particular; si la nueva mujer tiene recursos económicos propios, sus ingresos en el hogar permiten al hombre mantener la misma cuota alimentaria que pagaba anteriormente. Esta situación dista de ser justa; pero en los tribunales existe actualmente el concepto de que cuando una mujer forma pareja con un hombre divorciado, sabe ya a qué atenerse y cuáles responsabilidades deberá afrontar. Lo que la ley plantea es que un hombre tiene derecho a casarse cuantas veces quiera, pero que debe trabajar y ganar lo suficiente para mantener a los hijos habidos en esos matrimonios. Lamentablemente, en la realidad las cosas no siempre son así, y sucede que algunas segundas mujeres cargan con parte de las responsabilidades económicas del marido. (Es necesario recordar que para la ley argentina, los padrastros y las madrastras deben a sus hijastros alimentos y asistencia.)

Si por el contrario los ingresos del progenitor se incrementan, la primera mujer tiene derecho a reclamar un aumento en la cuota de alimentos para sus hijos, proporcional al incremento de los ingresos. Esto se debe a que la cuota de alimentos se fija teniendo en cuenta dos elementos básicos: las necesidades del alimentado, y la capacidad económica del alimentante. En consecuencia, la suma fijada puede variar con el tiempo, dependiendo de los cambios en las necesidades de los que la reclaman. Estas circunstancias repercuten con frecuencia en la organización económica de la pareja de nuevo matrimonio:

206

"Cuando Hernán se separó de su ex mujer, fue a vivir al apartamento que usaba como laboratorio. Luego, cuando nuestra pareja se consolidó, compramos un apartamento entre los dos, de tres habitaciones, para que los dos hijos de él pudieran quedarse a dormir los fines de semana", refiere Griselda, una bioquímica de 38 años, que trabaja con su marido. "Ahora, nuestra economía mejoró, pues recibimos algunos contratos como consultores de laboratorios extranjeros. Pensábamos dedicar el pequeño excedente que nos queda —después de atender a nuestras necesidades personales y profesionales, a la manutención de nuestro hijo y la de los hijos de Hernán— como anticipo de un crédito inmobiliario para cumplir un viejo sueño: mudarnos a una casa en las afueras, con jardín y huerta, donde pudiéramos respirar mejor. Pero la ex esposa de Hernán ha pedido la reconsideración de la cifra de alimentos, de modo que tendremos que seguir viviendo en este apartamento, que ya nos queda chico. Los dos estamos bastante amargados por esto. Sólo podemos esperar que la mayoría de edad de los niños nos libere de esta carga. Por supuesto, les seguiremos pasando una cuota hasta que terminen sus estudios universitarios, si deciden hacerlos, pero en ese momento podremos volver a negociar los acuerdos."

En el caso de que una madre divorciada se vuelva a casar, el padre biológico de sus hijos continúa siendo responsable de su parte de la manutención. Pero si no cumple, ¿en quién recae esta obligación?

Ladislao, el ingeniero que contó su historia algunos capítulos atrás, se casó con Alicia cuando ella —recientemente divorciada— había obtenido la tenencia de Jorge, su hijo de cinco años. Alicia y su ex marido habían acordado una suma mensual de alimentos, pero después de los dos primeros años, el pago se volvió irregular, hasta que cesó por completo. Alicia había perdido su empleo en una casa de decoraciones, y trataba de montar su propia empresa, para lo cual había contraído pesadas deudas. Ladislao se convirtió en el único sostén de la familia, hasta que, años después, Alicia estuvo en condiciones de aportar sus ingresos a la economía hogareña.

Tomás, el bodeguero que se trasladó de Sevilla a Buenos Aires al casarse con Estefanía, se encontró en una situación similar: el padre de las mellizas de Estefanía nunca les pagó un centavo en concepto de alimentos. Si bien la madre contribuía a su sustento, la mayor parte del peso de la economía doméstica recaía sobre Tomás.

Ninguno de los hombres entrevistados se queja del deber de mantener a sus hijastros: lo asume como una obligación natural. Por el contrario, las mujeres que se encuentran en el mismo caso, si bien no se niegan a mantener a sus hijastros, muestran una tendencia a quejarse, alegando que la situación es injusta. Esto puede atribuirse a que, tradicionalmente, los hombres asumen las tareas de "proveedores" del hogar como inherentes a su papel masculino, en tanto que para las mujeres —al menos las de estratos socioeconómicos medios— es históricamente más "natural" asumir el de cuidadoras, dejando el sustento de los hijos a sus cónyuges. Los roles tradicionales, cristalizados por siglos de insistencia cultural, no se borran en una o dos generaciones de mujeres trabajadoras y económicamente autónomas.

• **¿Cuáles son los derechos y deberes de las madrastras y padrastros con respecto a la alimentación de sus hijastros?**

De acuerdo con la ley argentina, los primeros y prioritarios responsables por la manutención de los niños son en principio los parientes que están unidos a ellos por lazos de sangre: padres, abuelos, hermanos mayores. Sólo en el supuesto de que éstos no tengan recursos, o estén ausentes o inhallables, el padrastro se ve en la obligación de pasarles alimentos. Si el padrastro convive en la misma casa con los hijos de su mujer, se asume que implícitamente se ha hecho cargo de ese grupo familiar; se ha convertido en lo que la ley llama "un guardador de hecho". De no pasar alimentos a sus hijastros, también puede sufrir una sanción de carácter penal. En los hechos, con frecuencia los padrastros se hacen cargo espontáneamente del sustento de sus hijastros, dado que muchas veces los padres biológicos de los niños dejan de pagarles alimentos, o lo hacen de manera irregular.

En los casos en que el padre posee la tenencia de los hijos, *la madre está obligada a contribuir a la manutención de los niños, en la medida de sus recursos.* De lo contrario, se hace pasible de iguales sanciones legales que los hombres en el mismo caso. En la práctica, sin embargo, son generalmente las madrastras las que colaboran con el padre de los niños para su manutención.

La nueva tendencia con respecto a la tenencia y la manutención de los hijos es que ambos progenitores se hagan cargo por igual de los alimentos y la atención de sus hijos; se trata de la **tenencia compartida**, que procura que ambos ex cónyuges compartan su responsabilidad como padres, tanto en lo que concierne a educación, salud y afecto, como a que los dos se responsabilicen económicamente por sus vástagos, en la medida de sus respectivos recursos. Una modalidad de la tenencia compartida es la tenencia alternada: en ésta, no sólo ambos progenitores asumen por igual los deberes de alimentación y atención de los niños, sino que la guarda es compartida; los hijos circulan entre ambos hogares, unos días con uno y otros días con otro. Algunos psicoterapeutas cuestionan si es saludable o no que un niño tenga dos casas. Pero tal vez sea mejor tener dos casas si eso implica contar con los dos progenitores.

Tanto la tenencia alternada como la compartida prometen un alivio a los conflictos económicos a los que madrastras y padrastros se ven frecuentemente arrastrados.

Los problemas monetarios, al igual que los acuerdos de tenencia y de régimen de visitas, son áreas espinosas para las nuevas familias, porque representan la superposición del hogar del padre de los niños con el de la madre. Si la separación emocional entre los adultos está elaborada y concluida, si se ha llegado a acuerdos legales y económicos que contemplen las necesidades de niños y adultos, los ajustes —necesarios a medida que los hijos crecen y la situación de los adultos cambia—, podrán desarrollarse con pocas dificultades. En caso contrario, el dinero puede convertirse en un arma de última generación, siempre lista para ser disparada. Cuando esto sucede, los hijos son los que más sufren, porque con frecuencia los adultos los utilizan como intermediarios en su guerra privada. Pero los nuevos cónyuges no lo pasan mejor: están forzados a sufrir las consecuencias de conflictos entre los ex esposos por los cuales no son responsables, y de circunstancias sobre las que no tiene ningún control, a mantener a hijos que no son suyos, a renunciar a proyectos que les son caros.

Si su pareja desarrolla una batalla legal y/o económica con su ex, exprésele su apoyo, pero trate de quedar fuera del conflicto. Desahogue su propio enfado hablando con su tera-peuta o counselor, *o con amigos. Y haga una lista de todas las cosas —dentro de su pareja y en la relación con sus hijastros— que sí le hacen feliz, o que están bajo su control, para sentirse mejor. Trate de que la felicidad de su familia actual no quede contaminada por antiguos conflictos.*

IDEAS PARA COMPARTIR

• Si sus experiencias pasadas relativas al manejo del dinero le han generado desconfianza, en cuanto a compartir la econo-mía familiar con su pareja, es importante que pueda conver-sar con él o ella sobre sus temores, explicándole el origen de éstos. Juntos pueden proponer los acuerdos que les re-sulten más favorables a ambos, como cuentas separadas, el establecimiento de un fondo común para la gestión del ho-gar y de cuentas personales separadas, etc.

• Si cada miembro de la pareja insiste en conservar econo-mías separadas para sí y sus propios hijos, asegúrese de po-nerse de acuerdo sobre la equidad de los gastos en común del grupo familiar, como la suma que se da a los niños para sus gastos, los viajes compartidos, la educación, o las acti-vidades recreativas de la familia.

• Cuando se producen cambios que tienen derivaciones econó-micas —como la pérdida de un empleo, modificaciones en los ingresos de uno de los cónyuges, una enfermedad que impida trabajar durante un tiempo, la cobranza de una herencia u otros—, los acuerdos económicos con los ex respecto de la ma-nutención de los hijos, necesitan ser revisados, lo que puede hacerse informalmente, mediante reuniones entre los ex cónyuges, o más formalmente, con la intervención de un abogado o de un mediador, según cada situación particular.

• Si el progenitor continúa manteniendo a sus hijos mayores de edad, la suma de alimentos puede serles entregada directamente, disminuyendo así los roces monetarios con los ex cónyuges.

• En los casos en que el marido deba destinar una gran proporción de sus ingresos a la manutención de los hijos habidos en su primer matrimonio, y en que la segunda esposa se vea obligada a solventar la mayor parte de los gastos ocasionados por los nuevos hijos y el hogar, la solución del problema debe adaptarse a cada caso. Si la nueva mujer no está en condiciones de ayudar a su marido, éste puede solicitar una reducción de su cuota de alimentos. En el caso de que los ingresos de la nueva cónyuge permitan a ésta hacer un aporte considerable al hogar, la situación debe negociarse entre los adultos. Puede llegarse a un acuerdo según el cual la segunda mujer contribuye a la mayor parte del funcionamiento del nuevo hogar, pero sólo si el marido se propone labrar una situación económica mejor en un plazo razonable. O bien pueden acordar que ella llevará la mayor carga financiera durante un período determinado —por ejemplo hasta que él pueda conseguir un trabajo mejor remunerado—, y que luego él le corresponderá haciéndose cargo de una parte importante de los gastos de ella (por ejemplo, la manutención de sus padres ancianos, o el pago de las cuotas por un bien de consumo).

• Reflexione si las soluciones que se proponen a los conflictos económicos de su pareja con su ex, o a los suyos con su cónyuge, son realistas. Tenga en cuenta que no existen las soluciones perfectas, y que para llegar a un acuerdo justo todas las personas implicadas deberán hacer alguna concesión.

12

Bailando con abogados

¿Existe un marco legal y jurídico que reglamente la vida de las familias de nuevo matrimonio? ¿Cuáles son los derechos y deberes de padrastros e hijastros? ¿Pueden los hijastros heredar a sus padrastros y viceversa? Una madrastra, ¿tiene la obligación de mantener a sus hijastros si el padre no está en condiciones de hacerlo?

La mayoría de las personas que inician una relación de pareja con divorciados provistos de hijos carecen de información sobre estos y otros muchos temas, y tienden a creer que alrededor de ellos existe un vacío jurídico, una suerte de nebulosa legal. Esta desinformación crea una gran sensación de desprotección, tanto en los hijastros como en madrastras y padrastros. Para ayudar a resolver estos problemas, en este capítulo se recorrerán algunos de los aspectos legales que sí contemplan —aunque aún parcialmente— a las nuevas formaciones familiares:[5] el encuadre jurídico de las familias de nuevo matrimonio, los derechos y deberes de padrastros e hijastros, y un procedimiento legal innovador, la mediación.

---

[5] Este capítulo se refiere al marco legal argentino. Los lectores de otros países deben tomarlo sólo como ejemplo.

Cuando se realiza un recorrido histórico por el derecho de familia, se comprueba que las segundas nupcias nunca fueron bien recibidas, ni en el marco social ni en el legal. Tal vez esto esté ligado a antiguas normas religiosas: para usar un ejemplo entre otros muchos, San Beda, el Venerable —quien vivió entre los años 673 y 735—, gran historiador y doctor de la Iglesia, condena enérgicamente las nuevas nupcias, incluso las del marido que repudió a su mujer debido al adulterio de ella:

"Por la misma razón, creo que si él repudió a una mujer, no debe tomar otra, sino reconciliarse con la suya. Puede abandonar a su mujer por adulterio, que es la única excepción que permite el Señor. Sin embargo, como no se le permite a ella volver a casarse en vida de su marido, tampoco a él se le permite tomar otra mujer mientras vive la que repudió; y le está aún más prohibido cometer actos licenciosos con alguna otra."

Hemos recorrido un largo camino desde la obligación de castidad eterna a quien osara separarse de su primer marido o mujer, pero todavía se sufren los efluvios de estas represiones, incluso en las leyes romanas, francesas y españolas. Durante los últimos siglos, cuando había hijos de un matrimonio anterior, las nuevas uniones no eran bienvenidas, particularmente en el caso de las madres viudas. Esta falta de beneplácito cumplía en realidad dos objetivos: el fundamental era el de asegurar que los hijos del primer matrimonio tuvieran un derecho exclusivo sobre los bienes del padre si la madre se casaba de nuevo, y al mismo tiempo restringían a la mujer el monto de los bienes que podía disponer a favor del segundo marido; el otro era el de impedir que el padrastro interviniese en la educación de los hijos de su esposa, por considerar que éstos podían correr algún peligro. En el Código Español, "los hijos menores de 25 años podían dejar la casa paterna sin licencia del padre o de la madre en cuya compañía vivían" cuando éstos hubiesen contraído ulteriores nupcias.

En la legislación argentina, heredera de las mencionadas, la viuda que teniendo hijos menores de edad se casaba nuevamente, debía pedir al juez que les nombrara tutor, para impedir que el padrastro se apropiara de los bienes legados por el marido difunto. Coherente con este criterio, el artículo 308 del Código Civil disponía la pérdida del ejercicio de la patria potestad para la madre viuda que contrajese segundas nupcias, la que recuperaba sólo en el caso de que volviera a enviudar. Afortunadamente, la legislación actual se muestra mucho más flexible y favorable para los aventureros que contraen nuevo matrimonio.

Nuevas familias, ¿nuevas leyes?

A partir de los años 70, el proceso de divorcio y los nuevos matrimonios comenzaron a cobrar importancia en la Argentina, dado que eran una práctica cada vez más corriente, aunque no estuviera autorizada por la ley. Tal como saben numerosos hombres y mujeres separados, antes de la sanción de la ley de disponibilidad nupcial, el divorcio no autorizaba a los ex esposos a contraer un nuevo matrimonio. El vínculo conyugal subsistía hasta la muerte de uno de los cónyuges, y por lo tanto las uniones posteriores —aun las celebradas ante juzgados extranjeros—carecían de legitimidad legal. A pesar de estas severas limitaciones, las nuevas familias implementaron sus propias prácticas, celebrando ceremonias religiosas o laicas de nuevo matrimonio, organizando su vida familiar como mejor lo entendían, disponiendo acuerdos económicos, desarrollando sus propios juegos de normas y relacionándose con el contexto social. Se evidencia así la creciente disociación entre el orden institucional y el familiar y hasta el social: las nuevas familias fueron aceptadas hasta tal punto, que en la vida cotidiana rara vez se le pregunta a alguien si está casado legalmente o no, y se llama respectivamente "marido" y "esposa" a los miembros de una pareja estable, aunque no hayan pasado por el Registro Civil.

Sin embargo, hasta hace poco más de una década, las uniones no formalizadas eran consideradas como **contrarias a la moral y a las buenas costumbres**, lo que incidía en el derecho a la tenencia de los hijos y en el régimen de visitas. Las personas que consolidaban nuevas parejas corrían el serio riesgo de perder la custodia de sus hijos, aunque reunieran mayores aptitudes morales, psicológicas y económicas que su ex

215

cónyuge para criarlos y educarlos. Los jueces argumentaban que la convivencia con la nueva pareja implicaba un peligro para los menores, porque podía afectar su normal desenvolvimiento y el desarrollo de su personalidad. Sin embargo, otros jueces sostenían que la nueva unión no constituía por sí sola una situación que pudiese dañar al hijo, y que no convertía automáticamente a la madre o al padre en una persona inadecuada para educar al menor.

Las uniones de hecho incidían también en el derecho de visitas del progenitor que no convivía con el hijo. Con frecuencia, la madre se oponía a que el hijo visitase el hogar del padre y de su segunda mujer, y la mayoría de los pronunciamientos de los jueces accedían a la petición materna. Sin embargo, en algunos fallos se afirmó que pretender esconder a la nueva familia aumentaba la confusión en el niño y deterioraba la imagen paterna, dado que obligaba a mantener la relación entre padre e hijo en un contexto artificial, y apartaba al niño de los nuevos vínculos familiares constituidos por su padre. Desde esta posición se valorizó el nuevo grupo familiar y la necesidad de los hijos del cónyuge divorciado de integrarse al mismo.

En síntesis, la ausencia de divorcio vincular hasta mediados de la década de los 80 produjo en la Argentina la discriminación de las familias de nuevo matrimonio, haciendo de ellas una suerte de parias legales y colocándolas en una situación de desamparo. Esta actitud no dejaba de tener consecuencias sobre sus miembros, que debían cargar con un repudio y enfrentar unos escollos jurídicos que dificultaban la consolidación y la integración de la nueva familia.

La reforma de la ley representó un progreso significativo. Sin embargo, todavía es relativamente reciente, y no están contemplados todos los aspectos que surgen de la conformación de las familias de nuevo matrimonio. Por lo demás, algunas convicciones culturales, profundamente enraizadas en la sociedad, aún consideran "legal" solamente a la primera unión, y perciben como inconvenientes a las nuevas familias cuando existen hijos de uniones anteriores.

En el punto siguiente se ofrecen respuestas a algunas de las dudas legales más frecuentes entre los progenitores que vuelven a casarse, las madrastras y padrastros, y los hijastros, con respecto a los derechos y deberes mutuos.

CATORCE PREGUNTAS Y RESPUESTAS A LAS DUDAS JURÍDICAS

1- ¿Existen lazos de parentesco entre los padrastros y los hijastros?

Sí. Entre un cónyuge (padrastro o madrastra) y los hijos del otro (llamados hijastros o entenados en términos legales), ya sean matrimoniales o extramatrimoniales, se genera un **parentesco por afinidad en primer grado, es decir, un parentesco político semejante al que une al yerno con el suegro, o a cuñados entre sí.** Por el hecho de contraer matrimonio, un cónyuge queda vinculado a todos los parientes del otro en el mismo grado que este último, y con los mismos derechos y obligaciones.

2- ¿Existe parentesco entre los hermanastros?

No. Los consanguíneos de un cónyuge (padres, hijos, hermanos) no tienen lazo de parentesco alguno con los consanguíneos o afines de su marido o mujer. En consecuencia, no se considera que los hijos de los cónyuges provenientes de uniones anteriores sean parientes entre sí, ni tampoco lo son el padrastro y el marido de la hijastra.

3- ¿Hasta cuándo dura el parentesco entre padrastros e hijastros?

El parentesco entre padrastro/madrastra—hijastro es perpetuo: no se extingue con la muerte ni desaparece con el divorcio de los cónyuges.

4- ¿Qué se considera incesto[6] en las nuevas familias?

No pueden contraer matrimonio el padrastro/madrastra con su hijastro/a; tampoco el padrastro/madrastra con los descendientes de sus hijastros e hijastras. En cambio, los hermanastros (que no tienen padre ni madre biológicos en co-

---

[6] El incesto no está penalizado por la ley argentina.

mún), pueden casarse entre sí. Estas normas no están dictadas tanto con el propósito de impedir que la futura descendencia de estas hipotéticas uniones padezca taras o deformidades, sino con el de preservar la jerarquía y el orden familiar.

5- Los padrastros y madrastras, ¿tienen la obligación de mantener a sus hijastros?

Sí. *El padrastro/madrastra debe alimentos a sus hijastros y viceversa*, sin que la convivencia entre ellos sea necesaria, y sin interesar si el hijo del cónyuge es matrimonial o extramatrimonial. Pero esta responsabilidad de manutención es subsidiaria, porque los parientes consanguíneos son llamados en primer término. Si uno de los padres del hijastro, o uno de sus hermanos mayores, vive y posee recursos para mantenerlo, está obligado a hacerlo antes que el padrastro o la madrastra.

6- ¿La obligación alimentaria termina si el matrimonio acaba en muerte o divorcio?

No. *La obligacion alimentaria no caduca cuando el vínculo conyugal que ha originado el parentesco entre padrastros/madrastras e hijastros se disuelve por muerte o divorcio*, ya que este lazo es perpetuo. Pero si hijos e hijastros reclaman alimentos, éstos se deben en primer término a los propios hijos, y luego a los hijastros.

7- Los hijastros, ¿tienen derecho a percibir la pensión de sus padrastros/madrastras?

Sí. Teniendo en cuenta la responsabilidad alimentaria prevista para el padrastro/madrastra—hijastro, las personas unidas por tal vínculo tienen derecho a pensión. Igualmente, si el hijastro convive con su padrastro/madrastra, cualquiera de ellos tiene derecho a pedir indemnización por la muerte del otro. El hijastro tiene igualmente derecho a las asignaciones familiares, y se lo considera para la determinación de las cargas de familia.

8- ¿Pueden las madrastras y padrastros solicitar la tutela de sus hijastros?

Sí. *El padrastro o la madrastra tienen el derecho de solicitar la tenencia judicial del menor cuando los padres bioló-*

gicos no puedan cumplir su papel por muerte, ausencia, abandono, o falta de idoneidad.

9- Los padrastros y madrastras, ¿tienen autoridad legal sobre sus hijastros?

Sí. Aunque existe una laguna legal en los que se refiere al ejercicio de la autoridad sobre el hijastro/a menor de edad con quien se convive —sea hijo del esposo/a o del concubino/a— a la luz de los puntos anteriores, puede decirse que existe entre padrastros e hijastros un vínculo jurídico de jerarquía y cuidado que no pasa sólo a través del progenitor biológico. Por consiguiente, para ser eficaz, este vínculo debe incluir el ejercicio de la autoridad. En otras palabras: *si los padrastros tienen el deber de alimentar y cuidar a sus hijastros, tienen también el derecho implícito de autoridad sobre ellos, dado que sin autoridad no se puede ejercer correctamente el cuidado.* Evidentemente, en este caso la autoridad se comparte con el progenitor con el que se convive, y también con el progenitor ausente del hogar, en caso de estar vivo.

10- ¿Cuáles son los derechos de visita de madrastras y padrastros?

De acuerdo con el Código Civil, tienen derecho de visitas los parientes que se deben recíprocamente alimentos. Esto significa que, *en caso de disolución del vínculo conyugal por muerte o divorcio, los padrastros y madrastras que deseen continuar la relación con sus hijastros pueden reclamar este derecho de comunicación con los hijos menores o incapaces de su ex cónyuge.*

11 — Los hijastros, ¿pueden heredar a los padrastros y madrastras?

No. *No existe derecho hereditario entre padrastros/madrastras e hijastros.* Sólo pueden recibir bienes hereditarios por vía testamentaria, y dentro de las posibilidades concretas del testador, teniendo en cuenta la "legítima" (la parte obligatoria de los bienes que heredan los parientes en primer grado) de los herederos forzosos: cónyuges, hijos y padres.

12- ¿Pueden los hijastros heredar los bienes propios de madrastras y/o padrastros, a traves del casamiento de éstos con sus progenitores?

No. Los hijastros recibirán, naturalmente, la herencia de su progenitor, lo que incluye la parte correspondiente de los bienes gananciales de la pareja. *Los bienes propios de las madrastras y padrastros (herencias familiares y otros) no se consideran bienes gananciales de la pareja.* Por lo tanto, no pueden ser heredados por los hijastros, salvo mediante expresa disposición testamentaria, como se menciona más arriba.

13- ¿Pueden las madrastras y padrastros adoptar legalmente a sus hijastros?

Sí. *La ley permite que uno de los cónyuges adopte al hijastro/a,* aunque sea mayor de edad, con el propósito de integrar mejor la familia de nuevo matrimonio. En el caso de parejas que conviven sin casarse, la ley es vacilante en cuanto a admitir este tipo de adopción, ya que por una parte se fortalecería la familia de nuevo matrimonio, pero por otra se equipararían la convivencia (concubinato) y el matrimonio.

14- ¿Qué sucede si la pareja de nuevo matrimonio convive sin estar legalmente casada? ¿Se tienen los mismos derechos y deberes que las madrastras y padrastros casados?

No. Cuando la relación entre el hombre y la mujer es de convivencia sin matrimonio legal (concubinato, según la denominación jurídica), no existen los derechos y obligaciones mencionados en los puntos anteriores.

MEDIACIÓN VERSUS JUICIO

Cuando un conflicto —ya sea dentro de la familia de nuevo matrimonio, o con los ex— no puede dirimirse sin intervención legal, como la división de propiedades en condominio, la tenencia de los hijos, el régimen de visitas, la distribución de las concesiones mutuas, etc., ya no es necesario iniciar un largo y agotador juicio. Actualmente se emplea un procedimiento que permite dirimir casos simples sin necesidad de llegar a los tribunales: la mediación.

La figura del mediador comenzó a definirse en Estados Unidos, donde actualmente es un método corriente para resolver, entre otros, problemas sobre la tenencia de los hijos o la cuota de alimentos. El mediador es un individuo que ha recibido una formación a la vez psicológica y jurídica, que le permite analizar determinados conflictos y contribuir a que las personas involucradas los superen de la mejor manera; de ser posible, se trata de resolver el problema sin llegar a los tribunales, o bien llegando al juicio con posiciones claras. Puede ser consultado directamente por las partes involucradas en el conflicto o por sus abogados, y es un tercero neutral que, llegado el caso, propone soluciones pero no toma decisiones.

La mediación comparte algunos principios —tales como poderes, consideración de los mejores intereses de los miembros de la familia, la aclaración completa y sincera de las concesiones— con la terapia familiar, fundamentalmente con la sistémica. La tarea de orientar conjuntamente la elaboración de un acuerdo aceptable con el menor dolor posible, también conduce a un enfoque constructivo de los numerosos problemas y de las posibles agresiones y represalias. Uno de los objetivos fundamentales de este procedimiento es salvaguardar las relaciones interpersonales de los miembros de la familia en conflicto.

En los casos en que lo que está en juego es el divorcio y la consiguiente reorganización familiar, la determinación de la suma de alimentos para mantener a los hijos y el derecho de visitas, el proceso de mediación puede servir para disminuir los sentimientos de abatimiento, depresión, abandono, furia y rencor que acompañan habitualmente a estos conflictos. A medida que el mediador alienta a las personas implicadas a que decidan por sí mismas qué concesiones están dispuestas a hacer, qué arreglos financieros harán para sus hijos, cuál es el régimen de visitas más conveniente para todos, las conductas agresivas o autodestructivas se atenúan. Con frecuencia ocurre que, en el transcurso de la mediación, los clientes dejen de sentirse víctimas para adoptar actitudes más constructivas.

En la elaboración de los acuerdos financieros concernientes al divorcio —que tanto afectan a las formaciones familiares posteriores— se aplican principios similares en cuanto a alentar a los clientes a participar más directamente en los arreglos. Algunas personas —en particular las mujeres que nunca han trabajado fuera de su hogar— no tienen un conocimiento claro con respecto a sus ingresos, sus gastos, sus obligaciones y responsabilidades para con su ex cónyuge, hijos e hijastros; cuando toman conciencia de que a partir del divorcio su presupuesto se verá reducido, o que tendrán que administrar sus finanzas por sí mismas, suelen sentir pánico o plantear demandas exageradas. Para estos casos, la mediación prevé procedimientos como la redacción de presupuestos, evaluación de declaraciones financieras y recopilación de listas de las deudas principales, que los clientes en conflicto deben hacer junto con el mediador. Estas operaciones, al demostrar al cliente "desvalido" que es capaz de habérselas con la gestión de sus haberes, contribuye a lograr sentimientos de autonomía y madurez, y disminuye los de indefensión y soledad, lo que contribuye a lograr un divorcio emocional y a replantear las demandas económicas de una forma más ajustada a la realidad.

Los miembros de la familia, acompañados por el mediador, exploran los deseos, derechos y responsabilidades de cada uno de ellos. El mediador alienta a cada uno de los adultos a que logre percibir y aceptar las cualidades del otro como progenitor, así como a que admita las necesidades de los hijos en cuanto a no verse desgarrados porque sus padres tiran de ellos en direcciones opuestas, ni sentirse culpables de sus "dobles lealtades", y a mantener el contacto tanto con la madre como con el padre. Se consideran cuidadosamente las reacciones de los hijos frente al divorcio, y las consecuencias de éste sobre su desarrollo futuro. Y por último, se trata de alcanzar un acuerdo escrito en el que se tiene en cuenta fundamentalmente *el mayor interés de todos*. De esta forma, los sentimientos tormentosos que acompañan al divorcio y al posdivorcio, se ven —al menos en parte— mitigados y suavizados.

En los casos en que lo que se disputa es la tenencia de los hijos, los mediadores suelen orientarse hacia la custodia compartida: ésta consiste en que los niños tengan acceso a ambos progenitores, y que ambos padres se mantengan completamente involucrados en la vida de los hijos, tanto en las funciones alimentarias como en las normativas. Se tiende a que tanto el padre como la madre participen de la manutención de sus hijos, en la medida de sus posibilidades, y que los dos se hagan cargo de tareas como llevarlos al consultorio médico, asistir a reuniones de padres en la escuela, y participar de su formación.

Si bien la mediación presenta múltiples ventajas, no debe aceptarse incondicionalmente como una suerte de panacea universal. Se han detectado ciertas contraindicaciones, que es conveniente tener en cuenta. Uno de los casos es cuando uno de los adultos en conflicto es mentalmente retardado, o padece una enfermedad mental grave, como la psicosis. En este caso —al igual que en los casos de personas que por algún rasgo de su carácter no pueden o no quieren defender sus propios derechos—, si el mediador se ve forzado a depositar sus esfuerzos del lado del cliente más débil, perderá la neutralidad y la objetividad, que resultan primordiales en el ejercicio de la mediación. En estas situaciones, es aconsejable recurrir a un abogado más enérgico, para que defienda los derechos del más débil o inseguro.

Con estas salvedades, la mediación aparece como un camino más fácil y llano que el juicio para superar las diferencias que se producen durante y después del divorcio, y que pueden incluir o afectar a las madrastras y padrastros. En los procedimientos litigiosos, los protagonistas se sienten a menudo indefensos, ansiosos e inseguros, ya que el procedimiento queda enteramente en manos de los respectivos abogados, y la decisión final a cargo del juez. La mediación, en cambio, implica la participación activa de las partes en conflicto, en una tónica de cooperación para lograr acuerdos satisfactorios para todos. En algunas ocasiones, los mediadores piden a sus clientes que regresen periódicamente para asegurarse de la marcha de los acuerdos y renegociar las cláusulas que no los satisfacen. Cuando uno de los ex cónyuges vuelva a casarse, es recomendable que se regrese al mediador para establecer las modificaciones necesarias en los acuerdos anteriores, dado que la constitución de una nueva familia suele causar nuevos conflictos, referidos a la manutención de los hijos y al régimen de visitas.

En la complicada danza con abogados, tribunales, mediadores y códigos jurídicos de la que participan las familias de nuevo matrimonio, en uno u otro momento de su existencia es necesario que las personas implicadas conserven una idea clara, no sólo de sus propios deseos, sino también de la conveniencia de considerar el bien de todo el grupo familiar; esto implica también dejar de lado la idea de que el Derecho de Familia puede utilizarse como un arma legal en la ejecución de venganzas personales.

IDEAS PARA COMPARTIR

• Disponer de información adecuada es fundamental cuando se abordan problemas legales. No se conforme con "me dijeron en el café que me asisten tales o cuales derechos", o "el abogado de Fulano le comentó en la fiesta de la otra noche que puedo recurrir a tal instancia". Acuda a abogados o mediadores conocidos por su responsabilidad, o a fundaciones especializadas en la familia; existen también publicaciones y revistas de Derecho accesibles, así como cursos breves sobre Derecho de Familia para no abogados, organizados por universidades, fundaciones y asociaciones comunitarias.

• No se sienta responsable de que, debido a su matrimonio, el ex de su cónyuge trate de obstaculizar su relación con los hijos. A menudo, el nuevo matrimonio de uno de los cónyuges (particularmente si es el progenitor no custodio) trae como consecuencia que el otro, temeroso de la rivalidad del padrastro o de la madrastra, o guiado por los celos, trate de hacer modificaciones en el régimen de visitas. A pesar de que existe cierta flexibilidad en la modificación de los acuerdos de visita, tradicionalmente las decisiones legales han tendido a denegar el pedido de cesación de visitas, dado que se consideran sagrados los derechos parentales de los progenitores biológicos.

• Si los hijos de su cónyuge solicitan un cambio de custodia —por ejemplo, si deciden súbitamente dejar de vivir con su madre y su padrastro para habitar con su padre—, los abogados o mediadores que trabajan en el caso deben considerar las motivaciones que provocan este pedido. ¿Qué espera ganar el niño con este cambio? Estas expectativas, ¿son realistas, o producto de su fantasía? ¿Cuáles son las cuestiones psicológicas involucradas en el pedido de cambio? ¿Qué consecuencias acarrearía en las vidas de los progenitores y las nuevas parejas? A menudo, estas investigaciones posibilitan que el hijo participe en una terapia individual o familiar, que le ayudará a identificar las razones que le hacen desear el cambio de custodia.

- Si llevado por el afecto que siente por sus hijastros, usted se propone adoptarlos legalmente, reflexione sobre esta cuestión en profundidad. La adopción legal de los hijastros por los padrastros presenta tantas ventajas como inconvenientes. Por una parte, los niños ganan una sensación de permanencia y de pertenencia a la nueva familia, y pueden heredar los bienes del padrastro/madrastra. Por la otra, sin embargo, quedan legalmente separados de su familia de origen, borrando la identidad que se deriva de los vínculos con el progenitor biológico y con su familia, lo que en última instancia puede originar conflictos y patologías. Cada caso particular tiene que ser analizado cuidadosamente para evaluar los pro y los contras de la adopción.

13

¿Dónde pedir ayuda?

Este capítulo trata de los recursos a los que se puede acudir para recibir ayuda de diferentes tipos, o aprender a ayudarse a sí mismos y a los demás, en la vida del nuevo matrimonio y en el aprendizaje del papel de padrastros y madrastras.[7]

La psicoterapia

Cuando las personas se sienten angustiadas, acorraladas, no saben qué decisiones tomar, o simplemente necesitan de escucha, atención y apoyo, resulta adecuado acudir a la psicoterapia o a una variante más reciente, el *counseling*. La psicoterapia examina en profundidad los problemas y las posibles patologías del individuo. Esto es particularmente necesario en los casos en que el dolor, la ira, el rencor o el miedo se tornen incontrolables. El psicoterapeuta escuchará los problemas del paciente y le ayudará a ayudarse a comprender sus emociones y motivaciones, y a entender mejor a quienes lo rodean. La psicoterapia profundiza en la vida presente y pasada del paciente, revive experiencias y ofrece la ocasión de ex-

---

7 En este capítulo, los organismos indicados con nombre y dirección son argentinos; por tanto, los lectores de otros países deben tomarlos sólo a título indicativo, o como ejemplos.

plorar antiguos conflictos y de modificar conductas que no resultan útiles ni conducentes. La duración, costo y frecuencia del tratamiento depende de la corriente que se haya escogido (psicoanalítica, lacaniana, rogeriana, sistémica, gestáltica, etc.). En general, la psicoterapia se realiza a nivel privado, pero ciertas obras sociales o sistemas de medicina prepaga incluyen terapias de duración limitada en sus servicios. Algunos hospitales públicos ofrecen también servicios de psicoterapia, gratuitos o por medio del pago de un arancel mínimo. El Hospital Pirovano (Av. Monroe 3555, Buenos Aires, tel: 542—9906) propone asistencia psicológica, y diversos grupos terapéuticos. Asociaciones de profesionales de la salud mental, u organizaciones civiles o religiosas, ofrecen servicios y guardias gratuitos para niños, adolescentes y adultos. Puede solicitar información al respecto en la Secretaría de Salud de su municipalidad.

Psicoterapias de pareja y de familia

Además de tratar al individuo, la psicoterapia puede también ayudar a la pareja y al grupo familiar. La terapia de pareja trata a la mujer y al hombre en forma conjunta, a fin de explorar y resolver sus conflictos de relación. Si usted ya está en terapia individual, pero desearía iniciar una terapia de pareja y su cónyuge se niega a secundarlo, pida ayuda a su terapeuta: algunos acceden a invitar al cónyuge de su paciente a una o varias sesiones para tratar los problemas del vínculo.

La terapia familiar incluye, en distintos momentos del tratamiento, a la pareja, los hijos, los hijastros y, si es necesario y posible, a los ex cónyuges, con el fin de analizar cómo funciona el sistema familiar y de confrontar los diferentes puntos de vista de los miembros de la familia sobre un determinado problema. Este tipo de terapia se centraliza en el vínculo que existe entre los integrantes de la familia. Ante un conflicto, no busca las causas ni a los posibles culpables, sino que pone el acento en encontrar la salida al problema. Las psicoterapias familiares son aconsejables, a nivel de prevención, antes de formar la familia de nuevo matrimonio, y como búsqueda de soluciones cuando, ya formada la familia, surgen confictos entre padres, hijos y/o hijastros. Según las corrientes o escuelas que se escojan, las terapias de pareja o las familiares diferirán en duración y costo. Al igual que en el caso de las psicoterapias individuales, son los psicoterapeutas privados los que en general se ocupan de estas terapias, aunque ciertas obras sociales, sistemas prepagos, fundaciones, asociaciones, etc., ofrecen facilidades económicas para terapias de duración limitada. Numerosos hospitales públicos, Centros Municipales de Salud y Acción Comunitaria y asociaciones comunitarias sin fines de lucro brindan psicoterapias breves, ya sea gratuitamente o mediante una contribución mínima. En la Facultad de Psicología de la Universidad de Buenos Aires (Hipólito Irigoyen 3242, tel: 956-1217) funciona un servicio especializado en crisis familiares, a cargo de un equipo especializado de psicólogos y abogados. Infórmese en la Secretaría de Salud de su municipalidad, asociaciones profesionales y centros comunitarios. A nivel privado, puede dirigirse al Centro de Investigación Familiar (Ayacucho 37, 1er. piso, Buenos Aires, tel: 954-1243), o al Instituto de la Familia (Centro de Docencia, Investigación y Asistencia Psicológica, Acassuso 907, San Isidro, tel: 743-8645/0797).

El *counseling*

El *counseling* (también llamado asesoramiento, aconsejamiento o consultoría) es relativamente reciente en América Latina, aunque funciona con éxito desde hace décadas en países como Estados Unidos, Inglaterra y Francia. A diferencia de los psicoterapeutas tradicionales, los *counselors* se ocupan de personas que no sufren patologías o perturbaciones estructurales, sino crisis coyunturales, y que necesitan escucha, orientación y asistencia para superar dificultades emocionales. Su objetivo es lograr la readaptación del individuo a determinadas situaciones con un mínimo de cambios en su personalidad, antes que indagar en las fuentes de ansiedades y conflictos. El *counseling* matrimonial se ocupa de problemas de compatibilidad en la elección del compañero matrimonial y de la solución de conflictos interpersonales en la vida familiar, así como de los de la crianza de los hijos e hijastros, y de las relaciones entre padres e hijos, padrastros e hijastros. En general da buenos resultados con personas que están sinceramente dispuestas a reflexionar sobre sus conflictos y dificultades de relación, y a explorar caminos de solución y cambios. A diferencia de las psicoterapias mencionadas anteriormente, rara vez provoca cambios profundos, pero ayuda a las personas a utilizar sus recursos presentes con mayor eficacia para la resolución de problemas. El costo y la duración del *counseling* son relativamente moderados. Se puede recurrir a profesionales privados, o a clínicas, asociaciones o fundaciones que brindan este servicio.

Grupos de reflexión y autoayuda para divorciados

Existen actualmente numerosos grupos de autoayuda para divorciados, coordinados por profesionales de la salud mental o por personas que han pasado por esta experiencia. En general, se reúnen periódicamente para contar sus problemas, conversarlos y tratar de encontrar soluciones. Algunas asociaciones ofrecen salidas grupales para padres separados, viudos o solteros, con el propósito de compartir actividades de recreación y reflexión, mejorar la integración de la familia y facilitar la relación con otras personas en situaciones similares. En general, estos grupos publicitan sus actividades en periódicos y revistas. La Fundación Retoño (cuya dirección y teléfono figuran más adelante) organiza reuniones periódicas para padres separados.

Grupos de reflexión y autoayuda para madrastras y padrastros

Estos grupos, como los anteriores, se basan en reuniones periódicas —en forma permanente o por períodos breves— de madrastras y padrastros que, con la coordinación de profesionales de la salud mental, abogados y sociólogos, discuten sus problemas y encuentran soluciones en forma conjunta.

Usted puede formar su propio grupo de autoayuda de madrastras y padrastros. Póngase de acuerdo con los amigos, colegas, socios de su club y vecinos —sin duda cada vez más numerosos— que comparten esta situación; elijan un día semanal o mensual, y reúnanse para discutir sus problemas, comentar sus lecturas e informaciones sobre los mismos y ayudarse a encontrar una solución. Si lo desean, pueden contratar a un psicoterapeuta para coordinar estas sesiones, o invitar a abogados, sociólogos, asistentes sociales, para que los ayuden con los puntos oscuros. El lugar de reunión puede ser la casa de uno de ustedes, el club, un local facilitado por una asociación barrial o por el municipio. Si desean ampliar este servicio a la comunidad, pueden anunciarlo en carteleras, periódicos, radio u otros medios, y solicitar un local a un hospital, asociación comunitaria, escuela o municipalidad.

Biblioterapia

La lectura de libros y artículos sobre el divorcio, las relaciones de pareja, el nuevo matrimonio, la familia, la crianza de niños y adolescentes, cumple varios propósitos. En general, sólo leer que uno no está solo en su problemática con respecto a las relaciones familiares constituye un alivio: no se es ya un caso aislado y "anormal". Por lo demás, la información posee efectos terapéuticos: conocer y comprender la dinámica de los procesos por los que se atraviesa ayuda a entenderse a sí mismo y quienes le rodean, y a encontrar soluciones nuevas para antiguos conflictos. Busque los libros que necesita en librerías, bibliotecas públicas, y centros de documentación de asociaciones profesionales. En la Bibliografía, al final de este libro, encontrará títulos útiles.

Tribunales de familia

Los tribunales o juzgados de familia cumplen una función específica: extraer los casos de divorcio, tenencia y manutención de los hijos, cambios de tenencia, problemas de disciplina, insania, y otros, de los tribunales que se ocupan de las causas administrativas y criminales, y situarlos en una estructura especializada. Estos juzgados cuentan con jueces y magistrados especialmente capacitados, y asesorados por psicoterapeutas con orientación familiar, *counselors* y asistentes sociales. A menudo las familias no pueden resolver sus crisis por sí mismas, cuando se produce una ruptura en la comunicación entre sus miembros o entre los sistemas familiares involucrados. Pueden optar entonces por recurrir a la Justicia para establecer —o restablecer— vínculos legales entre la familia y la sociedad. Los juzgados de familia evalúan la situación del grupo y de cada miembro de la familia, mediante el asesoramiento de psicoterapeutas y asistentes sociales, realizado en varias entrevistas; se hacen reuniones de mediación con los padres, los abogados, y los representantes de los hijos. Luego el juez emite su dictamen, que tendrá en cuenta el bien común, y fundamentalmente el de los niños y adolescentes. También se hace intervenir a instituciones y redes comunitarias que acuden en apoyo de la familia. En Buenos Aires, puede acudir a Lavalle 1220, 6to. piso.

Asociaciones legales y asistenciales

En los últimos años, los abogados más progresistas han comprendido que es difícil trabajar en asuntos de familia sin contar con un equipo interdisciplinario, compuesto por terapeutas, asistentes sociales y otros. Se han creado así grupos de asistencia a familias en conflicto donde se brinda tanto asesoramiento legal como psicológico. En Buenos Aires, la Fundación Retoño —organismo sin fines de lucro que aúna la consultoría legal a la asistencia psicológica— brinda asesorías a familias en crisis, coordina grupos de encuentro y discusión para divorciados con hijos y organiza cursos de Derecho de Familia, tanto para abogados como para no abogados. Su dirección es: Lavalle 1444, 2do. cuerpo, 1er piso, of. 6. Usted puede informarse sobre la existencia de asociaciones similares en el Colegio de Abogados de su localidad.

14

Con afecto (a pesar de todo)

Las relaciones que se construyen entre madrastras o padrastros e hijastros son muy particulares. Estos vínculos carentes de modelos, conflictivos, lentos en desarrollarse y consolidarse, plagados de celos, rivalidades y hasta de fantasías sexuales, pueden estar, sin embargo, plenos de afecto y de gratificaciones. "Ver que las niñas que crié se han transformado en jóvenes autónomas, que estudian, trabajan y estrenan sus primeros novios, me llena de un enorme orgullo maternal", dice Jeannette, a quien sus hijastras ayudan a criar a su hijito de cinco años. "A pesar de que su madre y yo nos hemos divorciado, mi hijastro Jorge y yo hemos desarrollado una relación amistosa que valoro muchísimo, y que ha sobrevivido a la separación", se enorgullece Ladislao. Por su parte, Tomás afirma: "Ya no imagino la vida sin mis mellizas; ellas me han dado un sentimiento de familia del que carecía por completo antes de conocer a su madre y a ellas."

Pocas de las personas que accedieron a contar sus historias se arrepienten de haber asumido el papel de madrastras o padrastros. La mayoría confiesa haber pasado años tormentosos y desgastadores hasta que las relaciones con los hijos de sus cónyuges se estabilizaron en vínculos paterno-filiales o amistosos, pero también reconocen que los esfuerzos de ambas partes valieron la pena, teniendo en cuenta las recompensas en cariño y respeto de los hijastros, y el amor de sus parejas, que coronaron la empresa.

El camino nunca es lineal. Tiene avances y —más frecuentemente—retrocesos. Para las madrastras y padrastros comprometidos con sus nuevas familias, lo más difícil es no pretender conseguir en el corto plazo el cariño de los hijos de sus parejas. Aprender el arte de la negociación y de la paciencia no es fácil, pero redunda en una práctica inapreciable para la vida de adultos y niños. Y tampoco es sencillo contenerse para no intervenir en las relaciones entre padres e hijos, sobre todo cuando éstas toman caminos con los que no se está de acuerdo.

"El padrastro es un boxeador que pelea con una mano atada", dice Leandro, un arquitecto maduro y tranquilo, mientras fuma su pipa y contempla a sus hijastras, ya adultas y madres a su vez. "Tiene que acompañar a la madre o al padre en sus tareas parentales, pero no puede pasar por encima de su autoridad, aunque piense que están equivocados. Es necesario sugerir sin apremiar, encauzar sin forzar." Y sobre todo, podemos añadir, hay que tener en cuenta que las relaciones entre padrastros e hijastros también pueden asimilarse a un buen encuentro de box: quizás haya *rounds* reñidos, es cierto, pero si también hay abrazos en los vestuarios y risas en los entretiempos, unos años de buena pelea, con reglas claras, buena voluntad y sin golpes bajos, inyectan vitalidad, creatividad y alegría a la vida en familia.

La relación entre madrastras, padrastros e hijastros atraviesa al menos por cuatro etapas. La primera es la "fase mesiánica", en la que madrastras y padrastros pretenden conquistar inmediatamente a sus flamantes hijastros, reparar las pérdidas del grupo familiar y construir una familia "normal". En la segunda fase asoma el conflicto: las idealizaciones se destruyen, se plantean incompatibilidades, rivalidades y celos, y se descubre que los roles de niños y adultos deben ser establecidos con el consenso de todo el grupo. La tercera etapa es la de la aceptación del otro, con sus virtudes y defectos, y el aprendizaje de la convivencia. Por fin, la cuarta corresponde a la estabilización de la relación: padres, padrastros e hijastros han tomado conciencia de que pueden desarrollar una relación satisfactoria, si conservan la suficiente flexibilidad, capacidad de negociación, paciencia y buena voluntad.

Es necesario tener siempre presente que *el bienestar del grupo familiar depende del bienestar de cada uno de sus miembros*. En última instancia, la preocupación de madrastras y padrastros por los hijos de su pareja redunda en su propio beneficio: cuanto más satisfechos estén los niños con la pareja de su progenitor, cuanto más tranquilo y libre de conflictos sea el vínculo, tanto más podrán crecer y desarrollarse la relación de pareja y la vida familiar.

Por si esto le sirve de alivio en los momentos difíciles, sepa que cada vez hay más personas en su situación, dado que los divorcios y los nuevos matrimonios se incrementan velozmente. Este no es sólo un consuelo moral: cuantos más hombres y mujeres se encuentren en el papel de padrastros y madrastras, se define con más claridad el lugar que ocupan en el grupo familiar, y aumenta el número de servicios, ayudas, guías y modelos que les ofrece la sociedad.

Christiane Collange, escritora francesa, y autora de numerosos libros sobre las relaciones familiares, resume su obra diciendo: "Las mejores familias sólo permanecen válidas en el intercambio y el movimiento." El mismo concepto puede aplicarse a las relaciones con los hijos de su pareja: serán más satisfactorias en cuanto se establezca una comunicación más fluida, se acepte que son dinámicas y cambiantes, y que cada una posee características singulares, únicas e irrepetibles.

Bibliografía

— Ahrons, C.R.: *The bi-nuclear family: Parenting roles and relationships*, 1983, citado por Florence Kaslow (op. cit.)

— Anastasi, Anne: *Psicología aplicada: Psicología del aconsejamiento*, Ed. Kapelusz, Buenos Aires, 1970.

— *Autrement*: "Des soeurs, des fréres, les méconnus du roman familial", París, febrero de 1990.

— *Autrement*: "Mariage, mariages, le scénario change, le mystére demeure", París, marzo de 1989.

— Bayard, Robert y Bayard, Jean: *¡Socorro! Tengo un hijo adolescente*, Editorial Atlántida, Buenos Aires, 1993.

— Bettelheim, Bruno: *Psicoanálisis de los cuentos de hadas*, Editorial Crítica, Barcelona, 1991.

— Brazelton, T. Berry: *Las crisis familiares y su superación*, Paidós, Buenos Aires, 1992.

— Bruzzo, Gabriela: "La familia ya no es lo que era", en: Revista *Mujer* , No. 598, 15 de abril de 1994.

— Cárdenas, Eduardo: *ABC de los padres separados*, Fundación Retoño, Buenos Aires, 1992.

— Cárdenas, Eduardo: *Familias en crisis. Intervenciones y respuestas desde un juzgado de familia*, Fundación Retoño, Buenos Aires, 1992.

— Ciancaglini, Sergio: "¿A dónde va la familia?", diario *Clarín*, Buenos Aires, 27 de marzo, 1994.

— *Clarín Revista*: "Mi ex", Buenos Aires, 6 de marzo de 1994.

— Collange, Christiane: *Dessine-moi une famille*, Librairie Arthéme Fayard, Paris, 1992.

— Despert, J. Louise: *Hijos del divorcio*, Ediciones Hormé, Buenos Aires, 1987.

— De Biase, Tesy: "Vacaciones con los tuyos, los míos, los nuestros", *Clarín Revista*, 20 de febrero de 1994.

— Díaz Usandivaras, Carlos María: "El ciclo del divorcio en la vida familiar", en: *Terapia Familiar*, "Divorcio y nuevas organizaciones familiares", Año IX, No. 15, Agosto de 1986.

— Duberman, Lucille: "Step-kin Relationships", *Journal of Marriage and the Family*, No. 35, Mayo 1973.

— Duncan y Duncan: *Ustedes se divorcian, sus hijos no*, Editorial Estaciones, Buenos Aires, 1986.

— Einstein, Elizabeth: *The Stepfamily*, Macmillan Publishers, New York, 1992.

— Emery, R. E.: "Interparental conflict and the children of discord and divorce", *Psychological Bulletin*, 92, 1982.

— Fox, Robin: *Kinship and Marriage: An Anthropological Perspective*, Penguin Books, New York, 1971.

— Franks, Helen: *Volver a casarse. El comienzo de una nueva vida*, Paidós, Buenos Aires, 1990.

— Gorbato, Viviana: "Seis abuelos, dos padres: una familia muy normal", en: *Página 12*, 10 de julio de 1994.

— Grosman, Cecilia: "Intercambio interdisciplinario acerca del derecho de visita a los hijos en los casos de divorcio, separación o nulidad de matrimonio", en: *Terapia Familiar* No. 15, Buenos Aires, agosto 1986.

— Grosman, Cecilia y Mesterman, Liliana: "Organización y estructura de la familia ensamblada. Sus aspectos psicosociales y el ordenamiento legal", en: *Derecho de familia* No. 2, Buenos Aires, 1989.

— Jung, Carl G.: *Arquetipos e inconsciente colectivo*, Paidós, Buenos Aires, 1981.

— Justice, Blair y Justice, Rita: *The Broken Taboo*, Human Sciences Press, New York, 1979.

— Kaslow, Florence: "La mediación en el divorcio y su impacto emocional en la pareja y sus hijos", *Terapia familiar* No. 15, 1986.

— Kaslow, Florence y Linzer Schwartz, Lita: *The Dynamics of Divorce*, Brunner/Mazel Publishers, New York, 1987.

— Kellerhals, Jean; Troutot, Pierre-Yves y Lazega, Emmanuel: *Microsociologie de la famille*, Colección "Que sais-je?", París, 1984.

— Knaub, P. K., Hanna, S. N. y Stinnet, N.: "Strengths of remarried families", en: *Journal of Divorce* No. 7.

— Koremblit, Analía: "Familias ensambladas", en: *Matrimonio y familia en la Argentina actual*, compilado por María Lucrecia Rovaletti, Editorial Trieb, Buenos Aires, 1986.

— Maldonado, María Tereza: *Licoes de vida para familias*, Ediouro, Río de Janeiro, 1993.

— Meiselman, Karin: *Incest*, Jossey-Bass, San Francisco, 1978.

— Nabokov, Vladimir: *Lolita*, Ed. Anagrama, Barcelona, 1993.

— Noel, J. F. M.: *Diccionario de la Mitología Universal*, Edicomunicación, Barcelona, 1991.

— Papernow, P.: "The stepfamily cycle: an experimental model of stepfamily development", en: *Family Relations*, 1984.

— Pospishil, Victor: *Divorcio y nuevo matrimonio*, Ed. Carlos Lohlé, Buenos Aires, 1969.

— Richardson, Ronald: *Vivir feliz en familia*, Paidós, Buenos Aires, 1993.

— *Revista Para Ti*: "Cómo lograr que los demás nos escuchen", Buenos Aires, 4 de julio de 1994.

— Rico Godoy, Carmen: *Cuernos de mujer*, Ediciones Temas de Hoy, Madrid, 1992.

— Sager, C. J., Crohn, H. S., Engel, T., Rodstein, E., Walker, L.: *Treating the remarried family*, New York, Brunner-Mazel, 1983.

— Sainz, Carola: "¿Cuánto dura el amor hoy?", *Revista Viva*, Buenos Aires, 17 de julio de 1994.

— Serrano, Alberto: "Tratamiento de familiastras con adolescentes", en: *Terapia Familiar* No.15, Buenos Aires, 1986.

— Ségalen, Martine: *Sociologie de la famille*, Armand Colin, París, 1988.

— Simon, Anne: *Stepchild in the family: A view of children in remarriage*, Odyssey Press, New York, 1964.

— Stern, O.: "Stepfather families: integration around children discipline", *Issues in mental health nursing*, 1978.

— Sullerot, Evelyne: *El hecho femenino. ¿Qué es ser mujer?*, Editorial Argos Vergara, Barcelona, 1979.

— Sullerot, Evelyne: *Pour le meilleur et sans le pire*, Fayard, París, 1987.

— Toffler, Alvin: *Les nouveaux pouvoirs*, Fayard, París, 1991.

— Urribarri, Alicia Cohan de, y Urribarri, Rodolfo: "Consideraciones sobre el divorcio y la nueva familia del divorciado", en: *Terapia familiar* No. 15, Año IX, Buenos Aires, agosto de 1986.

— Varela, Santiago: "Los tuyos, los míos, los nuestros", diario *Clarín*, 14 de febrero de 1994.

— Vargas Llosa, Mario: *Elogio de la madrastra*, Ed. Emecé, Buenos Aires, 1988.

— Visher, Emily y Visher, John: *Stepfamilies. A Guide to Working With Stepparents And Stepchildren*, Brunner/Mazel Publishers, New York, 1979.

— Visher, Emily y Visher, John: *How to win as a stepfamily*, Dembner Books, New York, 1982.

— Visher, Emily y Visher, John: "Terapia con parejas de familias ensambladas", *Perspectivas sistémicas* Año 6, No. 28, Setiembre/Octubre 1993.

— Visher, Emily y Visher, John: *Stepfamily Workshop Manual*, Lafayette, Ca., 1992.

— Visher, Emily y Visher, John: "Dinámica de las familias ensambladas exitosas", en: *Sistemas familiares*, año 9, No. 2, agosto 1993.

— Wald, Esther: *The Remarried Family. Challenges and promise*, Family Service Association of America, New York, 1981.

— Wallerstein, Judith y Blakeslee, Sandra: *Padres e hijos después del divorcio*, Javier Vergara Editor, Buenos Aires, 1990.

— Winnicot, Donald: *Conversando con los padres. Aciertos y errores en la crianza de los hijos*, Paidós, Buenos Aires, 1993.